open bare bibliotheek am ster d.

Centrale Bibliotheek
Oosterdokskade 143
1011 DL Amsterdam
0900-bibliotheek (0900-2425468)
www.oba.nl

afgeschreven

Guido den Aantrekker

De kinderhater

Roman

bibliotheek open bare am ster dam

Centrale Bibliotheek
Oosterdokskade 143
1011 DL Amsterdam
0900-bibliotheek (0900-2425468)
www.oba.nl

Nijgh & Van Ditmar
Amsterdam 2014

www.dekinderhater.nl
www.guidodenaantrekker.nl
www.nijghenvanditmar.nl

Copyright © Guido den Aantrekker 2014
Omslag Moker Ontwerp
Foto auteur Roland Gaedtgens
Zetwerk Zeno Carpentier Alting
NUR 301 / ISBN 978 90 388 9886 5

Voor Olivier, mijn zoon

I

I

In mijn wereld had je twee soorten mensen: slechte, en héél slechte.

Waartoe ik behoorde?

Absoluut de laatste categorie, zouden mijn slachtoffers zeggen.

Een gevreesde columnist noemde mij in een deftige krant een roddelhufter. Gregor, mijn hoofdredacteur, noemde mij een sterreporter. De meeste bekende mensen in ons land noemden mij een rioolrat.

Zelf vond ik 'onthullingsjournalist' wel een fraaie.

Voor het meest gevreesde schandaalblad van Nederland joeg ik elke dag, zeven dagen in de week, als het moest ook 's nachts, op het lief en leed van onze sterren. Waarbij mijn hoofdredacteur een voorkeur had voor leed.

'Dat verkoopt toch het beste,' legde hij altijd handenwrijvend uit. Dan deinde Gregor met zijn lillende lijf – we noemden hem Zijne Corpulentie – in zijn bureaustoel naar achteren, en doceerde hij hoe het in ons 'prachtvak' werkte.

'Hoe ongelukkiger de sterren, hoe gelukkiger de lezers. Niets is fijner dan te constateren dat die mooie, rijke en beroemde mensen óók een rotbestaan hebben.'

Gregor, die je op zijn voordeligst als meedogenloze schoft zou kunnen typeren en die angstzweet als favoriete geur had, voerde naast mij nog twee niets- en niemand ontziende primeurjagers aan: een jonge hond die, geholpen door zijn blonde lokken, onschuldige blauwe ogen en aalgladde babbel, alles en iedereen neukte, man of vrouw, zolang het maar een coverstory opleverde, en een ervaren roddelvedette, die met een geaffecteerd accent BN'ers opbelde en na het noemen van haar naam poeslief kon vragen: 'Zeg, wat hoor ik, heb je kanker?'

Gezamenlijk maakten we gebruik van de diensten van meesterpaparazzo Aad Hilders, met wie we filmpremières, societydiners, vernissages en perspresentaties afstroopten, op zoek naar primeurs die onze megaoplages nog hoger deden rijzen. In smoking en avondtoilet met een glas champagne in de hand, en soms een solidair snuifje, waanden we ons op deze party's in James Bondsferen.

Om een scoop te scoren, nam ik ook weleens een andere gedaante aan. Verkleed als iemand van de plantsoenendienst kon ik urenlang schoffelen bij de ingang van het bos waar Willem-Alexander zijn eerste huiselijke momenten met zijn toen nog weggehouden Argentijnse verloofde beleefde; als ik daar in mijn normale kleding had staan posten, was ik binnen een kwartier verdacht geweest. En een witte doktersjas met in de borstzak een pieper – beide tweedehands van het Waterlooplein – bleken afdoende te zijn om zonder op te vallen een ziekenhuis te doorzoeken op een daar verpleegde celebrity.

Ons blad behaalde jaar na jaar een miljoenenwinst, dus het mocht wat kosten. Of het nu ging om een retourtje New York voor heimelijk genomen tongzoenfoto's van de gelauwerde acteur met zijn nieuwste verovering, een week naar een vijfsterrenhotel in Turkije met een vliegtuig vol Volendamse artiesten, of een zoektocht per helikopter naar de in de bossen verborgen villa van een zogenaamd aan de grond geraakte jetsetmakelaar: we kregen carte blanche, zolang het maar een voorplaat opleverde.

Het was één groot spel. BN'ers lieten zich onze aandacht gretig welgevallen als er een cd, een boek, een tv-show of desnoods een gesponsorde keuken te promoten viel. Moesten ze ook niet moeilijk doen als er een scheiding, een faillissement of een miskraam had plaatsgevonden, en wij daarover op uiterst journalistieke wijze details kwamen inwinnen – graag met een exclusieve foto.

Onze hoofdredacteur drukte ons op het hart niet te innig met hen te worden. 'Als ze je op feestjes om de hals vliegen, ben je fout bezig. Ze moeten altijd een beetje bang voor je zijn. Dat ze denken: wat wil hij van mij? Wie goed is in dit vak, houdt er weinig vrienden aan over. Trouwens, wie met de sterren heult óók niet, zoals jullie weten.'

Hij doelde op de onverwachts overleden verslaggever van een concurrerend entertainmentblad, die zijn leven lang nooit één wanklank over een bekendheid had neergepend en daarmee de lieveling van de showbizz was geworden. Op feestjes hadden ze als fruitvliegjes om hem heen gecirkeld, hopend op een positief stukje in zijn rubriek. Nadat een huishoudelijk ongeval hem fataal was geworden, was er geen enkele BN'er op zijn uitvaart.

Mijn hoofdredacteur had ooit vaderlijk zijn loodzware arm om mijn schouder gedrapeerd, en met een sinistere intonatie gezegd: 'Tycho, je moet die mensen zien als gereedschap. Gebruik ze als je ze nodig hebt. Een stratenmaker gooit zijn hamer ook opzij als de stoep gelegd is.'

Zelf was hij trots op zijn reputatie van spijkerharde en geslepen nieuwsmaker. Op de binnenkant van een deur op de heren-wc van een Hilversums omroepcafé stond *Gregor Geelen is onderwereld!* gestift. Een wat oudere redactiecollega vertelde mij eens grinnikend dat onze hoofdredacteur dat er zelf op had gezet.

Mijn palmares vermeldde de nodige losse verkoopsuccessen van ons blad: de geheime miljoenenafkoopsom van de bedrogen voetbalvrouw, de onvoorziene zwangerschap van de zingende weduwe, de stiekeme liefde van de nieuwslezeres voor een crimineel, de bloedbonje tussen de tv-ster en zijn jaloerse manager en de buitenechtelijke liefdesbaby van de voor de buitenwereld gelukkig getrouwde politicus van religieuze signatuur.

Het scoren van deze coverstory's verliep niet altijd zonder risico's. Van de ogenschijnlijk beschaafde tv-blondine die een glas op mijn kin liet breken na een haar onwelgevallig interview met haar tot op het bot gehate ex-man, tot de vader van een soapsterretje die mij met een stalen kettingslot achterna rende in het Vondelpark nadat ik zijn dochter, niet eens met zoveel woorden, in het blad als stoephoer had afgeschilderd.

Een beetje relativeren was er niet meer bij tegenwoordig.

Mijn job was er zo een waar je inrolde. Op de heao had mijn carrièreperspectief er bepaald anders uitgezien, maar na wat banen in het bedrijfsleven wist ik dat ik het daar niet ging vinden. Destijds woonde ik in Amsterdam-Zuid in hetzelfde huizenblok als een populaire cabaretier, die doorlopend slaande ruzie had met zijn vrouw – voornamelijk in letterlijke zin. Onze achterbalkons grensden aan elkaar, en ik kon alles horen. Hun verhitte strijd opnemen en later uitschrijven was een kleine moeite. Ik had gehoord dat roddelbladen serieus geld overhadden voor zulke verhalen. Dat bleek te kloppen.

Gregor, toen adjunct-hoofdredacteur van het blad dat ik als eerste belde, zei onder de indruk te zijn van mijn neus voor nieuws en bood mij toen zevenhonderdvijftig gulden per pagina, als ik hem van nieuws kon blijven voorzien. 'Je bent slim, nieuwsgierig, niet bang en ondanks dat je wat hooghartig bent, voorspel ik je een gouden carrière in dit vak,' zei Gregor op vertrouwelijke toon.

En dat maakte mijn nieuwe baas waar. Ik mocht zijn blad voltikken, en vulde al na een paar maanden genadeloos mijn zakken met wat ik toen als triviale onzin zag, maar wat uiterst lucratieve handel bleek te zijn: privéinformatie over 'de sterren'.

Voor ik het wist verdiende ik, als freelancer, een ministerssalaris – ook zo'n deftige beroepsgroep die de weg naar ons immense bereik rond de verkiezingen blindelings wist te vinden. Al was het maar met pikante roddels over politici van andere partijen. Geen enkel probleem.

2

Van mijn royale verdiensten kon ik mij een luxeappartement in de Amsterdamse Kerkstraat permitteren. Hartje uitgaanscentrum, tussen de Leidsestraat en de Nieuwe Spiegelstraat, op kruipafstand van mijn vaste barkruk in het Palladium. Ik huurde het, gemeubileerd en gestoffeerd, van een bevriende vastgoedmagnaat, inclusief een parkeerplek in de inpandige garage en werkster Lilian, een ras-Amsterdamse met dood geblondeerd haar en gele vingertoppen van het roken, die twee keer per week kwam schoonmaken. Ze deed dan ook mijn was en streek vervolgens meteen alles (behalve mijn hemden; daar mocht niemand aankomen, die deed ik zelf).

Ik kon er à la minute in. Alleen mijn collectie schilderijen van Pim Smit en de Pipistrellolampen nam ik mee uit mijn woning in de Rivierenbuurt, waar ik weg wilde sinds daar een etage hoger een clan Colombianen was neergestreken, met een voorliefde voor het tot diep in de nacht luid meezingen met merenguemuziek.

Veel was ik er trouwens niet, in de Kerkstraat. Voor mijn werk zat ik vaker in mijn bolide (een grigio metallic Alfa Romeo Brera 3.2 JTS V6 Q4 Sky Window met tweehonderdzestig pk, crème leren Poltrona Frau-kuipstoelen waarin je vacuüm gezogen werd, een geluidsinstallatie van Bose en negentien inch banden met brute sportvelgen, dat alles naar een ontwerp van de Italiaanse meesterdesigner Giorgetto Giugiaro), of op de redactie op het tochtige industrieterrein in West. En mijn spaarzame vrije tijd bracht ik liever door in Saint-Tropez, Marbella of op Ibiza – mengen met de jetset leverde steevast een bruikbaar verhaal op.

Niet dat ik thuis ook maar iets tekortkwam. Het smaakvol gerenoveerde pand telde één appartement per verdieping; ik woonde op de middelste etage. Mijn privédomein had twee slaapkamers, waarvan een met een hoogglans badkamer met inloopdouche en een bad van het formaat minizwembad, een living met een designhaard en een open Bulthaupkeuken, waar ik slechts kwam voor de ijskast, koffiemaker en magnetron. Koken deed ik er niet, met al die restaurants pal om de hoek en desnoods de pizzakoerier in vijf brommerminuten voor de deur.

Op de vloer lag matzwart, ebbenhouten visgraatparket met daarop een hoogpolig, taupekleurig tapijt en een bank van Minotti in champagnekleurig leer. Daarop zat ik zo min mogelijk nadat ik er eens een pizzapunt salami op had laten druipen; ik verkoos de veilige zwarte Eames, een loungestoel die ook nog eens comfortabeler zat.

De slaapkamer daarentegen was wat mij betreft zo vaak mogelijk operationeel. De boxspring, een heerlijk ordinaire van zo'n zes vierkante meter, keek uit op een bijna kamerbreed tv-scherm aan de muur. Als ik alleen in bed lag, dat kwam voor, keek ik er graag harde porno. *Private. Hustler.* Topkwaliteit. Mooie mensen, geen goedkope meuk met slordig geschoren genitaliën of bordkartonnen mise-en-scènes. Alles wat mij opwond levensgroot en haarscherp in beeld.

Achter de wengé schuifpanelen bevond zich een *walk-in closet.* Mijn pakken, hemden, dassen, riemen, sokken en schoenen waren, zo symmetrisch mogelijk, op kleur en seizoen ingedeeld. Om de zoveel tijd controleerde mijn bovenbuurman Xavier, manager in een herenmodezaak in de P.C. Hooftstraat, of alles up-to-date was. Hij had buideltjes potpourri uit zijn winkel in mijn kastruimte gehangen, die volgens oud recept voor hem in een afgelegen Toscaans klooster werden gevuld.

Xavier, midden twintig, had voor een man een surrealistisch perfect gelaat, droeg de grootste kinderconfectiemaat en was een homo van beschaafde komaf. Zijn pa betaalde zijn appartement, zolang hij maar zo ver mogelijk uit de buurt bleef. Ik hoefde mij van Xavier 'geen zorgen' te maken, want hij viel op 'robuuste types, het liefst van buiten de Randstad'. Na een paar tequila's had hij mij toevertrouwd dat hij geregeld fantaseerde over Klaas-Jan Huntelaar. 'Ik heb er een abonnement op *Voetbal International* voor genomen.'

Onder mij woonde Ursula. Begin vijftig, deed al jaren iets zwaar overbetaald interims bij de gemeente. Een onhandelbare toef haar, pretogen, een lach als een scheepshoorn en lijdend aan het zogeheten rijbroeksyndroom: haar bovenbenen waren extreem dik, vergeleken bij de rest van haar toch al stevige postuur.

Mijn buren sprak ik meestal in de lift, in de parkeergarage, voor de deur op straat en een paar keer in de zomer op het gezamenlijke dakterras, met een fles wit of rosé. Wat mij betreft was dat wel klef genoeg.

3

Je wordt alleen geboren en gaat alleen dood. Maak er in de tussentijd iets zinnigs van en zorg dat je het hoe dan ook goed hebt met jezelf. Dat was mijn moeders levensmotto.

Mijn moeder kwam uit een ondernemersgezin, waar dankzij hard werken genoeg binnenkwam voor een zorgeloos leven. Een oneindig lijkende tuin achter het monumentale stadspand met een zwembad en een ren voor de Russische windhonden. Inwonend personeel. Een knappe zwartharige vader, een elegante blonde moeder, een broer en een zusje.

Daarvan heeft ze acht jaar kunnen genieten. Toen werd ze, in de vakantie logerend bij een oom en tante, in een Bloemendaals bosven ondergeduwd door twee jongens die ze niet kende. Ze kreeg veel water binnen, verdronk bijna, werd door een aardige man naar de kant geholpen, fietste terug naar oom en tante, en werd 's avonds doodziek. Een paar dagen later kon ze niet meer lopen.

Polio, kinderverlamming. Besmet door het binnenkrijgen van vervuild water – inentingen waren er in die dagen nog niet.

Talloze keren werd mijn moeder geopereerd door professoren in Leiden. Maar ze kregen de spieren in haar onderbenen niet meer aan de praat. Ze zou voortaan zwalkend van links naar rechts door het leven gaan.

Mijn moeders naam Anke werd door vriendjes en vriendinnetjes, die voorheen al te graag bij haar thuis kwamen zwemmen, verbasterd tot 'Manke'. Ze werd de *running gag* van de straat. Met zware beugels aan haar benen ploegde mijn moeder zich door haar jeugd.

Toen stierf haar vader aan een acute, ongeneeslijke nieraandoening. Mijn oma moest noodgedwongen de leiding van de zaak op zich nemen en zag geen andere mogelijkheid dan haar drie kinderen tijdelijk onder te brengen bij een instituut van nonnen en paters.

Mijn moeder, die haar fysieke tekortkomingen compenseerde met bijdehand gedrag om dan maar zo aandacht te krijgen van haar leeftijdsgenootjes, werd daar geregeld mishandeld door moeder-overste. Een van haar straffen was mijn moeder laten slapen in een stervenskoude badkuip, zonder een deken of kussen. Het getik van de beugels tegen het bad door het trillen van haar benen was 's nachts door heel het gebouw hoorbaar, vertelde mijn moeder mij ooit. Ze had nooit een krimp gegeven. 'Dat gunde ik ze niet.'

Mijn moeder groeide uit tot een charismatische vrouw. Haar felblauwe ogen, gulle lach en opgeruimde karakter leidden de aandacht af van haar handicap. De beugels waren allang verdwenen. Ze had zichzelf leren lopen zonder hulp, zo goed en zo kwaad als het ging.

Om wat sterker te worden, werd ze lid van een roeivereniging in Amsterdam. Daar kwam ze in het vizier van mijn vader, Jan-Willem. Ze werden verliefd.

Toen ik eens aan hem vroeg of hij het niet erg vond dat mijn moeder gehandicapt was, antwoordde hij: 'Ze was beeldschoon, wat konden mij die benen schelen! Daarbij had ze de mooiste borsten die ik ooit gezien had.'

Ze trouwden en kregen mij. Mijn vader maakte carrière in het zakenleven, ontwikkelde zich tot een bekwaam bestuurder. Als ik mee mocht naar kantoor, zat ik in zijn imposante leren bureaustoel en was ik trots dat hij de baas van zo'n groot bedrijf was. We verhuisden naar een aan mijn moeder aangepast vrijstaand huis in Buitenveldert en gingen als een van de eersten met een DC8 van Martin's Air Charter op zomervakantie naar Mallorca.

Een modelgezin.

Maar terwijl mijn vader carrière maakte, verveelde mijn moeder zich thuis stierlijk als ik naar school was. Tennissen, hockeyen en skiën – de hobby's van mijn pa – was er met haar probleembenen niet bij.

Hun scheiding kwam nog best onverwacht. Op kantoor werd mijn vader verliefd op Constance, zijn jonge secretaresse van goeden huize. Op haar beurt was mijn moeder gezwicht voor de charmes van een telg van een landelijk bekend fabrikantengeslacht, erfgenaam van een miljoenenvermogen, die ze had ontmoet op een societyparty. Dat had een sprookje kunnen worden als hij zich niet had dood gezopen; op een dag hield zijn lever ermee op, en daarmee een zorgeloze toekomst van mijn moeder. Ze waren niet getrouwd en zijn vermogen vloeide terug in de familie, die vanaf toen deed alsof ze mijn moeder nooit gekend had.

Ik zat erbij en keer ernaar.

Mijn vader trouwde met Constance. Ze verhuisden naar een riante tweekapper met grind op de oprit en een rieten dak, in de gewilde buurt Het Spiegel in Bussum. Ik kreeg een halfbroertje, Diederik. Ik was twaalf en zag de lol van zo'n baby niet in.

Met mijn moeder kwam ik terecht in een huurflat in Amstelveen, de gemeente waar mijn oma was gaan wonen nadat ze het familiebedrijf goed verkocht had. Ik had er een fijne, avontuurlijke jeugd, vlak bij de Poel in het Amsterdamse Bos. Er woonden veel andere gescheiden vrouwen met kinderen in ons flatgebouw.

'De hunkerbunker!' riepen de moeders soms gierend in koor. Ik had geen idee wat ze bedoelden. De voordeuren op de galerij stonden altijd open – iedereen liep naar binnen bij iedereen. Onze moeders dronken sherry, smeerden toastjes met stinkende Franse kaas en zongen mee met cassettebandjes met nummers van Shirley Bassey en Conny Vandenbos.

In de kelderbox van onze flat speelde ik doktertje met mijn buurmeisje Zenna, die in een parallelklas bij mij op de lagere school zat. Met de stokjes van de twee raketijsjes die we van ons zakgeld voor een kwartje bij de buurtsnackbar hadden gekocht, onderzocht ik haar.

'Hoe ziet het eruit, vanbinnen?' vroeg ze, liggend met haar benen uit elkaar.

'Roze. Met een soort pinda erin,' zei ik. 'Nu moet je mijn piemel voelen.'

We waren onafscheidelijk geweest, maar de tienerhormonen dreven ons uit elkaar: ik deelde meisjes in naar wel of niet seksueel aantrekkelijk. Zenna was te veel een goede vriendin geworden. Dus hielden onze stiekeme spelletjes daar op.

Er kwam een nieuwe liefde in het leven van mijn moeder: Ybo, gezagvoerder op een Boeing 747, die in een klassieke Jaguar reed en nogal fors was. Dat hij nog getrouwd was en vijf kinderen had, zou voor veel vrouwen zeker een domper zijn geweest. Maar mijn moeder vond het prettig om niet meer voortdurend een man om zich heen te hebben en genoot van de intense momenten die ze met Ybo had.

Helaas viel hij op een dag dood neer, naast zijn Jag op personeelsparkeerplaats P40 op Schiphol. Omdat zijn nabestaanden geen notie hadden van ons bestaan, was het nota bene mijn vader die mijn moeder belde om te vertellen dat in *NRC Handelsblad* stond dat Ybo overleden én gecremeerd was.

Na wat doortastende telefoontjes naar zijn luchtvaartmaatschappij begreep mijn moeder dat hij twee uur voor zijn vlucht naar Chicago een hartstilstand had gehad en pas na uren was gevonden. 'Gelukkig is het niet in de cockpit gebeurd,' was mijn moeders reactie.

Sindsdien leefde ze alleen. Ze kocht van de latere erfenis van mijn oma een patiobungalow met een rozentuin.

Hoewel hij het nooit direct uitte, vond mijn vader mijn werk als schandaaljager maar niets. Als ik bij hem was, gaf hij mij bij vertrek weleens een stapel oude *Elseviers* mee. 'Een fatsoenlijk blad. Hebben ze daar niemand nodig?'

Met de showbizz had mijn vader geen affiniteit. Het enige wat hij mij ooit in dat genre had gevraagd, was hoe het met 'onze goede vriendin' Vicky Leandros was.

Ik zei dat ik het zou uitzoeken.

4

De belangrijkste mannen in mijn leven waren Ingmar en Ralph. Onze vriendschap was begonnen op de eerste dag van onze middelbareschooltijd. Toen we op het brugklaskamp op één kamer werden ingedeeld, vormden we al snel een trojka. Nadat we gedrieën kamerarrest kregen na een uit de hand gelopen grap met een brandslang en het achterhoofd van een kale leraar, kon het niet meer stuk.

Ingmar was een guitige slungel die richting de twee meter ging, met blonde krullen en een ironische oogopslag. Sinds hij ons had verteld dat hij rukte op een poster aan zijn muur van prinses Stephanie van Monaco in een geel badpak, namen wij hem op seksueel gebied niet meer serieus.

Ralph, die op Tom Cruise leek en dat zelf wist, was afgetraind dankzij de dozijn sporten waarin hij uitblonk. Hij liet in de nabijheid van meisjes vaak zijn wasbord zien. 'Wij hebben daar thuis een Miele voor,' sneerden wij dan. Hij was de kleinste van ons drieën, en had al schrikbarend vroeg inhammen in zijn haar, iets waar Ingmar en ik hem fijntjes op wezen als hij weer eens liep te pochen.

Ik was het gemiddelde van die twee. Hockeyer, maar niet de beste. Leuk om te zien, maar geen adonis. Extravert, maar geen allemansvriend. Ik vond mijn passie in het volschrijven van de schoolkrant, terwijl Ralph in zijn Adidastrainingspak op zijn racefiets een tournee hield van sportveld naar sportveld, en Ingmar op zijn kamer lag te blowen met zijn blik op de prinses en een knedende hand in zijn boxershort (dat de vuns zijn 'kroepoekbroekje' noemde).

We maakten alles samen mee of bespraken alles naderhand tot in detail met elkaar.

Onze eerste sigaret, uit de blikjes John Player Special van mijn moeder.

Onze eerste joint, in de fietsenstalling achter school.

Onze eerste pornofilm, die we onderling lieten rouleren (Duits, een overdosis schaamhaar en de uitspraak '*Mir kochen schon die Eier*', luttele seconden voor de tampeloeres van dienst buitengaats over een rookglazen salontafel sprietste).

Onze eerste keer. Ik met Manon uit Veenendaal, achter een stapel bedjes op het nachtelijk strand van Torremolinos, tijdens een vakantie met Ralph en zijn ouders. Onhandig, te opgewonden, te snel, maar ik had er een hobby bij.

Onze eerste autorijles, alle drie bij dezelfde rijinstructrice, die op Pino uit *Sesamstraat* leek.

Ons eerste eigen huis. Ingmar en ik deelden een ruime driekamerwoning in de Rivierenbuurt, waar we vijf keer per week dineerden bij de shoarmazaak om de hoek (gezond: met sla). Ralph op fietsafstand op een zolder in de Van Woustraat.

Onze eerste stapweekenden: van donderdag tot en met zaterdag in grand café Palladium op het Leidseplein. Later op de avond dan een snelle grillburger bij de Febo, per auto (de mijne: een olieverslaafde Mazda 626 Coupé met zwartleren dak en velours bekleding) naar The Bell's Club in Amstelveen, waar we ieder een kapster uitzochten en meenamen naar huis. 's Zomers dan de volgende ochtend espresso met een Alka-Seltzer bij de hippe strandtent Tijn Akersloot in Zandvoort.

We droegen Levi's 501, colberts met schoudervulling, puntlaarzen met afgesleten hakken en een enorme hoeveelheid haar – dat van mij paste niet eens op mijn paspoortfoto.

Onze enige zorgen waren: hebben we genoeg benzine en genoeg condooms?

Maar op de heao op het Raamplein, waarvoor Ingmar en ik ons ingeschreven hadden terwijl Ralph fysiotherapie ging doen, raakte Ingmar de eerste dag verliefd op een rustig meisje met permanent. Hij trok al snel daarna bij haar in. Uiteindelijk trouwden ze, kregen twee dochters, hij begon zijn eigen telemarketingbureau, en verhuisde met zijn gezin naar een jarendertighuis in de buurt waar we waren opgegroeid.

Ralph liet zich tijdens zijn weekendbaan als barkeeper in Café Wildschut verleiden door een brutale brunette met een knusse cup D, die hem een bierviltje toeschoof met daarop geschreven: *Mag ik je platneuken straks?* Dat mocht. Ze trok al snel daarna bij hem in. Uiteindelijk trouwden ze en vroegen mij als getuige, mits ik de anekdote van het bierviltje bij het speechen onvermeld zou laten – wat ik toezegde maar uiteraard volstrekt negeerde. Ze kregen een dochter en een zoon, hij werd manueel therapeut, en verhuisde later met zijn gezin naar een huis met praktijkruimte in de Watergraafsmeer. Ik was nog even niet zover.

5

Over aandacht had ik niet te klagen. Niet dat vrouwen massaal hun nagels kapot krabden aan mijn voordeur om maar binnengelaten te worden: er waren genoeg mannen die er beter uitzagen. Atletischer. Sportiever. Mannelijker misschien wel. Ik moest het, zoals een uitgezwaaide verovering het noemde, vooral hebben van maniertjes (naast goed haar). Waar ik vooral punten mee scoorde, was interesse – een onderschatte versiertruc. Ik had ervaren dat vrouwen aanslaan als een man geboeid luistert, ze stimulerend toelacht, aanmoedigende geluiden maakt, af en toe iets herhaalt en gerichte vragen stelt.

Wat heb ik al die jaren veel slap geleuter moeten aanhoren.

Maar het werkte.

Daarna ging het vanzelf. Eten in een trendy tent. Links een deur openhouden, rechts een stoel aanschuiven. Luisteren, lachen, knikken, luisteren, lachen, luisteren, grijnzen, haar arm aanraken, haar hand, compliment uitdelen, vragen of je haar mag onderbreken en dan rustig 'Je bent leuk' zeggen, een snufje zelfspot, een gevatte opmerking en als genadeklap een cocktail in de bar op de bovenste verdieping van het Okura Hotel, met uitzicht over verlicht Amsterdam.

Volgden er dan bij het lege glas na mijn mededeling dat ik haar naar huis ging brengen een teleurgestelde blik en een korte stilte, dan werd het samen ontbijten.

Lilian, de werkster, kwam altijd vroeg. Soms lag er nog iemand in mijn bed.

'Heeft het zin om mij aan dit vrouwtje voor te stellen?' vroeg ze telkens.

'Lil, je bent de eerste die het hoort als het wat wordt,' antwoordde ik steevast.

In een relatie was ik niet geïnteresseerd. Het ging om de jacht, niet om de prooi. Ik joeg op vrouwen zoals ik primeurs zocht: scoren en weer doorgaan. Ik was snel verveeld en er zaten er weinig bij met wie ik meer zou willen dan seks. Het kon, dus waarom niet?

Met mijn oude buurmeisje Zenna, die ik in het uitgaansleven na jaren weer was tegengekomen, at ik weleens wat. Dan wilde ze alles horen over mijn laatste veroveringen. Ze was KLM-stewardess geworden, daar mocht je best wat mollig zijn, en was volgens eigen zeggen aardig in trek bij de vliegers, als ze weer eens in Los Angeles of Hongkong zat. Ze vertelde mij over ene Knocking Billy, een viriele captain op leeftijd die net zolang bij stewardessen uit zijn bemanning op de hotelkamerdeur klopte tot hij beethad. 'Je moet eens meegaan. We zouden ons samen gek lachen om die malloten.'

Ik zei dat ik het een leuk idee vond, maar wist dat het nooit ging gebeuren.

Daarna moest ik haar bijpraten over mijn avonturen. Dus vertelde ik Zenna over die langbenige redactrice van een glossy, van wie ik alleen in haar mond mocht klaarkomen als ik jarig was. Dat duurde op dat moment nog vier maanden, dus dat cadeau liep ik helaas mis.

Over de blonde Brabantse intercedente, die zó nat werd dat het leek of mijn hand gelikt werd door een bouvier die na maanden uit het asiel werd opgehaald.

De vrouw van een tv-presentator die, toen hij in Afrika zat om te poseren met schoolkinderen, op een omroepfeest haar tong in mijn mond stak en daarna lalde: 'Hoe laat begint het neuken?' (Een kwartier later, in de Audi A6 van haar man.)

De in een vechtscheiding verkerende Larense moeder van twee oervervelende pubers, die sms'ten of ze 'weer met die Tycho lag te seksen' als ze op een Post-It in haar keuken had neergekrabbeld bij mij te zijn. Ze haatte haar kinderen, snikte ze een keer na twee flessen wit.

De ravissante cardiologe-in-opleiding, die eigenlijk al iemand anders had. Tijdens onze eerste nacht bleef ze naast mij liggen ondanks mijn aan haar lasagne met uien te wijten scheetconcert. Het gaf volgens haar aan hoe verliefd ze op mij was. Met haar had ik tegen mijn principes in, wellicht, eventueel, wie weet, nog wel iets van een soort relatie willen proberen omdat ze bovenmodaal lekker was. Maar ze wilde te veel te snel. Terwijl ik nooit verder plande dan een week, had zij haar leven tot in detail uitgedacht: een huis met een erker in de kuststreek, drie zoons (Mats, Justus en Lode), een bruine labrador en een Range Rover. Ik zei dat ik noch van kinderen – laat staan drie – noch van honden hield en haar droomauto een ouwelullenbak vond. Toch bleef ze. Maakte het zelfs uit met de iemand anders. En ik had haar nog zo gezegd dat dat niet nodig was. Misschien daarom vertelde ik haar over wat er was voorgevallen tijdens een werkopdracht. Op een liefdadigheidsdiner in de Passenger Terminal Amsterdam, iets voor bedreigde diersoorten, was ik naast een bedrijfsjuriste uit de vrindjesperiferie van Willem-Alexander geplaatst; ik herkende haar als een telg van een van de rijkste families van Nederland. *Not my cup of tea* (anderhalve meter hoog, een zegelring en een bol kapsel waarvan de onderkant waterpas was), maar ze had een botte humor die mij ronduit amuseerde.

We hadden eerst nog wat heen en weer geflirt. Toen ik haar tijdens onze tweede fles rood vroeg om een stukje olijfbrood, boog ze zich naar mijn oor en fluisterde: 'Eerst je lul laten zien.' Daar was geen woord Swahili bij.

Ik gebaarde dat ik ook iets in haar oor wilde zeggen. Gretig bewoog ze zich naar me toe.

'Alleen als ik ook bij jou mag kijken,' fluisterde ik terug.

'Bluf,' zei ze.

'Bluf in je broekje,' zei ik.

Nog geen minuut later stonden we in de lege heren-wc. Ze trok een deur open, hees de rok van haar galajapon omhoog, wurmde haar slip naar beneden, keerde zich van mij af, boog voorover en hijgde: 'Kom hier met die dikke Germanenpik!'

De deur stond nog open, dus die trok ik eerst maar even dicht. Ik kon mijn lach amper inhouden terwijl deze hete dwerg mij een staalharde pik bezorgde. Ik liet mijn smokingbroek op mijn schoenen glijden, en duwde mijzelf bij haar naar binnen.

'Pomp me vol!' beval ze na een paar minuten ritmisch stoten.

Nadat ik grommend mijn *point of no return* passeerde, zag ik alleen nog dat dikke haar. Ik móést eraan voelen en greep er vol in, precies toen ik klaarkwam.

'Oké, oké. Genoeg,' had Zenna gezegd. 'En hoe zit het met die ene speciale uit Duitsland, hoe heet ze ook alweer? Of heb je die uit je leven verbannen?'

6

Miguela.

Ik had haar ontmoet aan de bar in mijn sportschool, waar ze een smoothie bestelde. Eind twintig schatte ik, een oranje broekje onder een wit shirt, met een squashracket in haar hand.

Ze zei dat ze nieuw was in de stad en vroeg of ik tips had waar je lekker en het liefst een beetje gezond kon eten.

'Schrijf op,' zei ik, en noemde een straat en huisnummer.

'Hé, *thanks*. Hoe heet het? Wat voor keuken?'

'Mijn huis. En ik geloof een Bulthaup.'

'Heel geestig. Dan ga je voor mij koken ook!'

Zo eenvoudig ging het soms.

Miguela. Mooier kwam je ze niet vaak tegen. Dochter van een Nederlandse vader en een Braziliaanse moeder. Goudbruin haar dat over haar schouders golfde als ze bewoog, amandelvormige groengele ogen, volle lippen en een strak, licht getint lichaam. Het spleetje tussen haar voortanden was precies de imperfectie die haar perfect maakte.

Ik kreeg chronische last van een pavlovpaal: ik hoefde maar aan de eerste lettergreep van haar naam te denken en ik kreeg een stijve.

Er moest van haar altijd een cd van Luther Vandross opstaan, en we stopten pas als die uitgedraaid was.

De reden dat Miguela en ik niet dag en nacht seks hadden, heette Kurt, een negen jaar oudere Duitse topverkoper van zakenvliegtuigen. Met hem was ze getrouwd.

Ze woonde met Kurt in Frankfurt maar had een pied-à-terre in de Amsterdamse Jordaan, waar ze verbleef als haar agent een opdracht voor haar had: ze was handmodel, wat eigenlijk een belediging was gezien de rest van haar lichaam. Miguela was in trek bij cosmeticamerken, horlogehuizen en verder iedereen die behoefte had aan ranke, verzorgde vrouwenhanden in een advertentie of tv-commercial. Het ging niet om megabedragen, maar dat hoefde ook niet, Kurt was *loaded*.

Ze had de miljonair – eredivisie gladjakker, ik had foto's gezien – ontmoet tijdens een vakantie in Miami. Kurt palmde Miguela in met businessclasstripjes naar bounty-eilanden en een rosé gouden Franck Mullerhorloge ter waarde van een BMW3-serie (inclusief opties).

Niet lang daarna deed de gladde haar een aanzoek, in een compleet afgehuurd sterrenrestaurant in Parijs. Iets te snel, vond Miguela achteraf. Maar ze kon nu eenmaal moeilijk nee zeggen.

Miguela beweerde dat ze gek was op Kurt. Hij rook alleen verschrikkelijk uit zijn mond. Hun seks was geen succes. 'Matig tot zeer matig,' vond ze. 'Maar daar heb ik jou toch voor?'

Ik vond het wel prima zo. Geen lasten, alleen lusten.

We zagen elkaar als ze in de stad was, zo'n zes keer per jaar. Tussendoor stuurden we elkaar geile sms'jes (ik heette Marjan de Wit in haar telefoon), soms belde ze mij.

Eén keer lag er een envelop uit Frankfurt in mijn brievenbus. Er zat een slipje in, met een briefje. *Ik was drijfnat toen ik deze uitdeed. Dacht aan jou. Mmm, trek maar lekker aan je pik terwijl je aan mij ruikt.*

Dat wilde ik best doen.

De daaropvolgende keer dat ze voor mijn deur stond, ze was al een poosje niet geweest, zag Miguela er anders uit.

Moe. Opgeblazen. Wit.

Ze moest mij iets vertellen: ze was ruim vier maanden zwanger.

'En niet van jou. Wees maar niet bang,' ging ze in één adem door.

'Hoe weet je dat zo zeker?' We hadden het niet altijd veilig gedaan. 'Zo vaak deed je het toch niet thuis?'

'Ik heb teruggerekend wanneer het gebeurd moet zijn. Ik was toen al drie weken niet in Amsterdam geweest. En daarna hebben we alleen nog ge-sms't.'

'Daar vertrouw ik dan maar op,' zei ik.

Ik feliciteerde Miguela en dacht: dit is de laatste keer dat wij elkaar zien.

7

Per saldo bleef er één vrouw over die ik onvoorwaardelijk toeliet in mijn leven: de Canadese pianiste en jazzzangeres Diana Krall.

Ik was een keer verveeld zappend bij een tv-concert van haar terechtgekomen; daarvoor had ik nog nooit van haar gehoord. Ik ging meteen rechtop zitten. Ze zag er helemaal niet uit als een stoffige jazzzangeres! Stout. Zomerblonde lokken. Een brutale, uitdagende blik.

Ik kocht al haar cd's. Het hoesje van *When I Look in Your Eyes* lag op mijn knie als ik in de Eamesstoel met een glas whisky in mijn hand naar haar luisterde. Die verlangende blik in haar ogen. Ja, die had wel zin in een verzetje. Haar lome, wat hese stem, die de hoge noten nooit helemaal haalde. Wat gaf het! Dit was je reinste muziekporno! Die kreuntjes. Ik had nooit op zo'n manier naar een cd-hoesje gekeken. Zoals ze op de achterkant op de foto stond, met een warme omslagdoek, ergens op een verlaten strand, verlegen lachend – héél geraffineerd.

Soms verbeeldde ik mij dat we iets moois beleefden. Ik interviewde Diana, in Amsterdam, in het Amstel Hotel. Op haar kamer pruilde ze dat ze eenzaam was, en dat er helemaal geen leuke mannen in deze enge stad rondliepen. Ik had een stola van Texels lamswol voor haar meegenomen als cadeau voor het exclusieve interview. Diana slaakte kreetjes van verrukking en kuste mij brutaal op de mond. Tevreden opende ik een fles champagne uit de minibar, waarbij de kurk op het bed landde. Zoekend naar het ding tussen de opengeslagen lakens, kroop ze rond als een roofdier dat het spoor rook van haar prooi. Ze keek over haar schouder. Wellustig. Een scheve grijns.

Ik hield mij niet langer in, liep naar haar toe, tilde haar op bij haar middel, ze kirde, ik draaide haar om en wierp haar terug op bed. Ze kronkelde krols, likte langs haar lippen. Ze trok haar negligé-achtige niemendalletje in één vloeiende beweging uit, wierp dat over een schemerlamp en rolde zich naakt in de stola van Texels lamswol. Ze had een klein streepje haar, zag ik.

Terwijl ik mij ontdeed van mijn broek en shirt, strekte ze haar armen ongeduldig naar mij uit, en keek licht panisch toen ik mijn boxershort liet zakken. Ik boog mij over haar heen. We beminden elkaar. Teder maar wel stevig. Het bed kraakte in zijn voegen. En dat in zo'n tophotel. Dat ging ik nog wel even doorgeven aan de receptie, straks.

De kans dat mijn droom bewaarheid werd, schatte ik overigens laag in: Diana was nog niet heel lang getrouwd (met Elvis Costello), en haar man was vast te egocentrisch om haar te delen. Toen Diana met hem de jongenstweeling Dexter en Frank kreeg, hield ik het voortaan bij luisteren naar haar muziek.

8

Zenna belde. Een vriendin van haar, ene Karlijn, wilde een geboortehoroscoop voor mij maken. 'Je krijgt het cadeau van mij. Ze weet er echt heel veel vanaf.'

'Een geboortehoroscoop? Wat moet ik daarmee?' zei ik, terwijl ik een alinea aanpaste in mijn komende coverstory over een overspelige schaatskampioen. Er moest iets meer emotie in.

Terwijl zijn vrouw in het ziekenhuis lag met zwangerschapsvergiftiging, vergreep onze nationale held zich thuis – tussen de al klaargezette wieg en commode – ruw aan een naïef meisje uit de discotheek, dat hem ondanks de schrijnende pijn vol adoratie bleef aankijken.

Beter. Ik kon het mijn hoofdredacteur al horen zeggen: 'Dat sletje heeft hem natuurlijk heel de avond zitten opgeilen. Dan moet je naderhand niet gaan lopen mekkeren. Hier gaan we op verkopen!'

'Een persoonlijke horoscoop, gebaseerd op je geboortedatum. Leuk, toch? Ik heb Karlijn over je verteld. Dat je bijna veertig bent en nog steeds niet volwassen. Dat je de ene sloerie na de andere afwerkt. En dat ik je graag wat meer gun, en dat ik hoop dat je je ooit nog eens durft te binden. Dat dus.'

Ik schrapte een ander stuk tekst. Daar ging Juridische Zaken toch voor liggen.

'Dat geldt toch net zo goed voor jou? Wat jij wel niet aan foute vliegsnorren hebt afgewerkt. Ga zelf!' zei ik.

'Ik ben allang geweest en was verrast hoeveel er klopte van wat ze zei. Ga nou maar gewoon. Ik heb trouwens al gezegd dat je komt.'

'Is ze lekker?'

'Tycho!'

'Nou?'

'Niet voor jou.'

Ik moest door, de redactie wachtte op het artikel.

'Op welke kermis staat ze?'

Zenna lachte voldaan en gaf mij een e-mailadres waar ik de plaats, datum en het exacte tijdstip van mijn geboorte naartoe moest mailen. Daarna zou Karlijn mij terugmailen voor een afspraak.

Karlijn woonde op een etage in de Bosboom Toussaintstraat. Toen ik bovenkwam, stond ze met uitgestoken hand klaar. Ze mocht dan volgens Zenna niet mijn type zijn, ze was niet onaantrekkelijk – als je van vrouwen zonder make-up in een harembroek hield. Ze had prima tieten en een fris gebit.

Karlijn ging mij voor naar de keuken. Ze veegde een miauwende poes van wat A4'tjes die op de ronde tafel lagen. 'Je krijgt zo eten, poezenkind,' zei Karlijn met een kinderachtig stemmetje, terwijl ze mij een rotanstoel toeschoof. Er kleefden overal haren aan en het rook er penetrant naar kattenbak. Dat ging niets worden.

Ik sloeg het aanbod van een mok koffie vriendelijk af.

'O, ik had net een verse pot gezet. Iets anders?'

Ik schudde mijn hoofd en probeerde niet te diep in te ademen.

'Okeetjes. Hé, wat goed dat je er bent. Superleuk. Zenna heeft je geloof ik al zo'n beetje verteld wat de bedoeling is, hè?'

'Ja. Jij gaat mij vertellen of het ooit nog wat wordt met mij.'

Karlijn lachte. 'Je gelooft er niet in, hè? Het is wetenschappelijker dan je denkt, hoor. Je geboortehoroscoop is gebaseerd op de stand van de sterren precies op de tijd dat je ter wereld kwam. Ik heb de dag en tijd die je mij doorgaf ingevoerd in een computerprogramma, waarna ik tot in detail je persoonlijke horoscoop kon uitdraaien.'

Ze trok een vel van de stapel. Er stond een cirkel op met een verdeling in vakken. Het leek op een in punten gesneden taart. Wijzend op de vakken zei ze: 'Dit zijn de twaalf huizen. Elk huis staat voor een deel van je karakter en je toekomst. Het eerste huis staat bijvoorbeeld voor ego, het tweede huis voor bezittingen maar ook eigenwaarde, drie is communicatie, huis vier je wortels en voorouders, huis vijf staat voor gezin, zes gezondheid, zeven het huwelijk en je partner, het achtste huis voor dood en wedergeboorte, negen voor religie, tien voor je status in de maatschappij, huis elf voor vrienden en huis twaalf tot slot behandelt het mystieke, het onbewuste.'

'Aha,' zei ik, terwijl ik mij probeerde te concentreren op wat ze uitlegde.

'Je sterrenbeeld is Tweelingen, je ascendant Maagd,' ging Karlijn door.

'Mijn wat?'

'Je ascendant. Dat is het teken dat aan de oostelijke horizon staat op het moment dat je wordt geboren. De ascendant geeft aan hoe je overkomt op anderen, de eerste indruk die je achterlaat, het beeld dat mensen van je hebben. In jouw geval is dat rustig, beheerst. Conventioneel, gereserveerd. En je bent een perfectionist. In je werk hanteer je een bepaalde afstandelijkheid. Maar die zet je óók door in je privéleven en dat kan voor sommigen weleens een ontnuchterend effect hebben.'

'O,' zei ik.

'Jouw sterrenbeeld en ascendant zijn best een pittige combinatie. Maagden zijn ontzettend punctueel, accuraat en zakelijk. Tweelingen komen vaak te laat, Maagden zijn doorgaans te vroeg. Twee uitersten in een. Dat kan best lastig zijn. Maagden zijn verstandig, gedragen zich volwassen. Tweelingen willen juist niet volwassen worden, blijven het liefst kind. Peter Pan was een bekende Tweelingen.'

Ik schoot in de lach. 'Een stripfiguur! Ik kan dit zo toch niet serieus nemen?'

Karlijn sloeg triomfantelijk haar handen in elkaar. 'Kijk, jouw reactie op hetgeen waarmee ik je confronteer is juist het bewijs dat je horoscoop klopt. Dat jij ernaar neigt je diepste emoties weg te rationaliseren en ze te verstoppen achter je verbale kracht.' Ze glimlachte. 'Daarom heb je waarschijnlijk moeite om iemand langdurig trouw te blijven en kun je je daarom niet binden.'

'Flauw. Dat heb je van Zenna gehoord. En die is zelf écht geen haar beter.'

Ze trommelde met haar rechterhand een paar keer op de uitdraai. 'Het staat hier allemaal in. Diep vanbinnen ben jij óók op zoek naar geluk, net als ieder ander. Je tuurt voortdurend in de verte, maar misschien moet je eens vaker om je heen kijken, dicht bij jezelf. Je zou zomaar iets over het hoofd kunnen zien.'

Ze pauzeerde kort. 'Maar wat ik interpreteer uit deze gegevens is dat je de ware liefde zult vinden. Sluit je ogen daar niet voor, ze is wellicht allang in je leven.'

'Werkelijk?' zei ik.

Terwijl Karlijn zich excuseerde voor een bezoek aan haar wc, sms'te ik Zenna.

Woensdag 11:07 uur
Zeg het voortaan gewoon ff als je verliefd op mij bent ☺ Het is wel HEEL doorzichtig wat je handlangster voorspelt. Ik streel nu haar poes, je straf!

Karlijn trok door, kwam de keuken in en ging weer tegenover mij zitten. 'Weet je wat mij trouwens opviel?' zei ze. 'Dat ik in jouw vijfde huis weinig concreets zag over kinderen. Niets, eigenlijk.'

'Dat kan kloppen,' zei ik.

9

Kinderen. Ik kon er, behalve in de diepst slapende versie, niets posi-
tiefs aan ontdekken.

Maar de meesten sliepen niet als ik in de buurt was. Ze jankten.
Ze krijsten. Meestal op momenten en plekken waar dat extra hinderlijk was. Voor en achter me op een intercontinentale nachtvlucht,
wanneer ik was vergeten mijn geluiddempende koptelefoon in mijn
handbagage te stoppen. In marmeren vakantiepaleizen, waar ik altijd
de kamer had naast de kamer met de enige huilbaby in het hotel.

Kinderen waren overal. Het leek wel een samenzwering.

Ik had nog enige compassie kunnen opbrengen voor deze be-
volkingsgroep als hun ouders publiekelijk, opgelaten en nederig een
teken van gêne zouden geven. Dat bleek niet zo te werken in poep-
luierland. In de meeste gevallen van overlast maakten de moeders
sussende mondgeluidjes naar het horrorkind, vergezeld door een,
volkomen misplaatste, gelukzalige blik. De papa's, lijzige sukkelaars
zonder enige inbreng, keken slechts over de schouder van moeder de
vrouw mee.

Met een nuchtere maag de krant nietsvermoedend openslaan bij
de geboorteadvertenties en daar voornamen als Lupine, Swip, Krik
en Simme aantreffen.

Peuters en kleuters. Domme wezens die, ondanks waarschuwin-
gen, overal op klauterden, eraf lazerden en het op een oorverdovend
brullen zetten. In die leeftijdscategorie hadden de moeders het vaak
over de 'kindjes'. Ze staarden je woedend na als je het in je hoofd
haalde om, weliswaar met een slakkengang, door hun straat te rijden
met je sportwagen als de 'kindjes' daar speelden.

Die vrouwen hadden doorgaans mannen die, met een serieus
gezicht, bakfietsen vol 'kindjes' rondreden, richting bibliotheek of
geitenboerderij. Ze hadden dan papadag. Man, man, man.

Het ergst vond ik nog dat mijn bruisende bestaan ingeperkt werd
doordat Ingmar en Ralph, mijn allerbeste vrienden, mijn stapmaat-
jes, mijn gezellen, mijn mede-Musketiers, volledig in de ban waren
van een roedel thuishouders. En als ik dan naar hén toe ging, omdat
ik ze anders nauwelijks zag, zaten hun kinderen er altijd bij. Ik at

eens bij Ingmar toen ik net terug was van een reis naar Thailand met golfende artiesten.

'Hé, vertel even, hoe was het daar?' vroeg Ingmar, toen we aan tafel zaten.

'Het was geweldig. We zijn…'

'Annelot, niet doen. Leg die vork neer. Je weet dat dat niet mag. Schatje? Goed zo!'

Ik, al minder enthousiast: 'Zoals ik zei, was het erg leuk. Die golf-banen daar, subliem. Op een van die…'

Ingmar: 'Wacht even, Tych. Annelot! Wat zei ik nou? Hier die vork. Nu!'

Tegen mij: 'Sorry. Het blijft altijd opletten met die kleintjes, hè. Het is me een stel rakkers! Maar goed, je was dus in Thailand ge-weest?'

Annelot keek mij aan en zei: 'Ik vind jou stom!'

'Ik vind jou ook stom,' zei ik.

Begon dat kind te janken.

'Hè, Tycho, man, het is een kind!' zei Ingmar.

Mijn Ingmar!

Hij trok Annelot op schoot. 'Domme, domme Tycho, hè?' zei hij.

Domme, domme Tycho bleef meestal niet lang.

Ik moest bij mijn vrienden ook nog op mijn woorden letten als er kinderen in de buurt waren.

'Vind je het heel erg om niet steeds "kut" te zeggen?' vroeg Ralphs vrouw, die met datzelfde orgaan vroeger bij elke liefhebber op zijn gezicht ging zitten.

Als ik überhaupt nog afsprak bij Ingmar en Ralph kwam ik pas na negenen, zeker wetend dat hun kinderen dan in bed lagen. Helaas kwam de eerste geeuw bij mijn vrienden nog geen twee uur later al opzetten.

'Sorry, man. Was vroeg vanmorgen. Quinten stond alweer om vijf uur naast ons bed. Het mannetje slaapt zo slecht.' Kijkend op zijn horloge: 'Dus als je het niet heel erg vindt, wij willen niet al te laat onze mand in. Wees maar blij dat je geen kinderen hebt.'

Ik had het nog fijner gevonden als jullie ze ook niet hadden, wilde ik zeggen. In plaats daarvan klokte ik mijn biertje achterover en zei: 'Ik begrijp het.'

Toen ik met Ingmar en Ralph op een spaarzaam moment een avond in de kroeg zat, zei ik dat een Amerikaans onderzoek had aangetoond dat mannen als vader veel minder van het mannelijk geslachtshormoon testosteron in hun lijf hebben dan wanneer ze nog kinderloos zijn.

'O ja? Maar het is zo leuk, een gezinnetje,' gaapte Ingmar. 'Ik zou ze niet willen missen. En voor elke avond seks zijn we toch te moe. Ik slááp alleen nog in bed.'

'Wacht maar tot jij ze hebt,' lachte Ralph zwakjes. 'Dan snap je waarom het speciaal is.'

10

Op de overvolle vip-avond van de Amsterdam Fashion Week in het RAI-gebouw, waar ik met de gebruikelijke egards voor was uitgenodigd, werd ik, terwijl ik op zoek was naar fotograaf Aad die door de modieuze massa leek opgeslokt, aan de mouw van mijn smokingjasje getrokken.

'Jij bent toch Tycho? Van school?' vroeg een prachtige, roodblonde vrouw.

Faye Clark.

We hadden bij elkaar op de havo gezeten, Faye een klas lager. Ze was mij daar opgevallen, maar in negatieve zin. Ze was een dun, jongensachtig meisje geweest dat erg aanwezig was. Een schreeuwlelijk. Ze droeg wijdvallende tuinbroeken van OshKosh en nooit make-up. Hoorde bij de blowers. Ik bij de kakkers, met mijn hockeysjaal, beige suède jack, bordeauxrode instappers en gestileerde haarlok. Wij gingen in principe niet om met types als Faye Clark.

Van die alternatieve puber was weinig over, met haar zwart omrande groene ogen, fraaie neusje en slanke kuiten boven een hoge hak, onder een strakke rok.

Ik kon niet anders dan haar als een buitengewoon lekker hapje categoriseren.

Faye was Amerikaans, herinnerde ik mij. Geboren ergens vlak bij New York. Vanaf haar zesde jaar woonde ze in Amstelveen, waar haar pa een directiefunctie had bij een internationaal mediaconcern. Haar broer was dj op onze schoolfeesten geweest. Maar meer wist ik ook niet.

'Faye Clark! Leuk,' zei ik. 'Lang geleden! Wat zie je er fantastisch uit! Nog geen neushaartje erbij gekregen. Wat doe jij hier tussen dat nuffige modevolk?'

Ze moest lachen. 'Hetzelfde als zij, vrees ik. Ik zit ook in de mode,' zei ze. 'Als rayonmanager. Ik geef leiding aan onze grootste filialen. Had je niet gedacht hè, van iemand die vroeger altijd in hobbezakken liep? Ben je hier voor werk? Ik heb je weleens in zo'n blad zien staan, met een foto. Je bent toch roddeljournalist?'

'Onthullingsjournalist,' zei ik.

'Oké, ont-hul-lings-jour-na-list,' zei ze smalend. 'En wat onthul je dan zoal?'

Ik vond het nooit prettig wanneer iemand mij op de man af vroeg wat ik precies deed voor mijn werk. Ik moest dan vertellen dat ik geheime of verbroken liefdes onthulde, of familieschandalen, of dat een BN'er dronken een schoenenzaak in gereden was. Op de een of andere manier klonk dat niet bepaald verheffend. Het was niet dat ik mij schaamde, zeker niet, en 'ik huilde de hele weg naar de bank', zoals Las Vegaslegende Liberace vrij vertaald ooit had gesnoefd. Maar toch, ik hield de details van mijn werk liever voor me.

'Och, van alles en nog wat,' zei ik maar. 'Wat heb je trouwens op?'

'Een paar wijntjes. Praat ik dubbel?'

'Ik bedoelde je geurtje. Je ruikt echt verrukkelijk!'

'Pomegranate Noir, van Jo Malone. Helaas niet te krijgen hier. Maar een vriendin die veel reist, neemt af en toe een fles voor me mee.'

Ze gebaarde naar twee vrouwen die verderop met wat mannen aan het praten waren. 'Mijn vriendinnen. Esmée en Hedwig.'

'Interessant,' zei ik, maar ze boeiden mij weinig. 'Ben je verliefd? Verloofd? Getrouwd?'

'Zo, meneer de onthullingsjournalist... wat gaat u met deze informatie doen?'

'Niets. Persoonlijke interesse.'

'Ik ben schuldloos gescheiden.'

'Dat zeggen ze allemaal, natuurlijk.'

'Nee, ik ben onschuldig! Nog steeds.'

'Moet ik dat geloven?'

'Zeker! Ik ben zó saai en burgerlijk...'

'Ga een keertje met mij mee dan...'

'Want jij bent níét saai en burgerlijk?'

'Nee. Die kans is kleiner dan nul.'

'Ik heb toch meer met saaie mannen.'

'Daar geloof ik helemaal niets van.'

'Helaas, het is waar. Druip je nu af?'

'Zeker niet. Nu wil ik je schaken ook!'

'Klinkt bruut en barbaars. Ben je dat?'

'Alleen als het écht niet anders kan...'

'Ben je door je andere kandidaten heen?'

'Niet leuk genoeg. Ik zet alles op jou nu.'

'Niet doen. Ik ben een slechte keuze.'

'Gaan we zo wat drinken na de beurs?' kwam ik ter zake.

Faye nam een laatste slok uit haar glas, terwijl ze me strak aan bleef kijken.

Shit, wat had ik zin om haar uit die nauwsluitende rok te trekken en haar alle hoeken van mijn minizwembad te laten zien.

'En toen werd het stil aan de overkant,' zei ik. 'Ga je mee wat drinken zo?'

'Ik wil wel hier wat voor je halen?'

'Speel je bij elke man *hard to get*?'

'Nooit. Ik ben volledig *not to get*.' Faye grijnsde. 'Ik ga wat te drinken voor je halen bij de bar. Waar heb je zin in?'

Ik vroeg een Bacardi-cola.

Toen Faye terugkwam proostten we met elkaar. 'Op een geweldig weerzien,' zei ik zo oprecht mogelijk. Het was tijd voor fase twee: mijn zachte kant laten zien en interesse tonen. 'Maar je bent dus gescheiden?'

'Ja, sinds begin dit jaar. Ik was getrouwd met Jens Jelgers. Misschien ken je hem. Hij heeft een aantal horecazaken in de stad.'

'En waar woon jij?'

'Amstelveen nog steeds. Nooit weggeweest. Jens heeft me goed achtergelaten, ik heb een mooi huis gekregen van hem. Vlak bij winkelcentrum Lindenhof, ken je dat?'

'Is dat met dat terras waar al die rokende hangbejaarden samenscholen?'

Faye schoot in de lach. 'Precies, daar! We noemen dat plein altijd Jurassic Park.'

Een sexy, gescheiden vrouw met een eigen huis, die er financieel goed bij zat. Faye hing wel de Vestaalse Maagd uit, maar daar wist ik wel raad mee. Kwestie van langzaam opwarmen...

'En ik heb dus een zoon van zes,' zei Faye. 'Luuk.'

...of het héél snel hierbij laten.

Ze keek mij proestend aan. 'Zo! Kijkt er ineens eentje vies, zeg.'

'Woont, eh, Luuk bij jou?'

'We hebben co-ouderschap. Maar omdat Jens een onregelmatig leven heeft, komt het er feitelijk op neer dat hij hem hooguit een of twee dagen per week ziet.'

'En welke dagen zijn dat precies?' grapte ik.

'Wat ben je toch lekker voorspelbaar,' zei Faye, met een bepaalde blik in haar ogen die ik niet een-twee-drie kon thuisbrengen.

Interessant.

'Ik zou je graag nog een keer spreken. Wat is je mobiele nummer?' vroeg ik.

'Alleen als je het kunt onthouden geef ik het. Anders heb je pech,' zei Faye.

II

Op de albumpresentatie van een zanger van het levenslied waar ik een paar dagen later op zoek was naar nieuws, kwam ik oog in oog te staan met de minnaar van een hitzangeres, die mannen versleet zoals een alcoholist flesjes mondspray. Wat ze meer aan haar vette bankrekening te danken had dan aan haar verschijning.

'Vuile tyfuslijer! Als ik je voor mijn auto krijg, rijd ik je mank!' schuimbekte de minnaar mijn kant op.

'Jóúw auto?' lachte ik honend. 'Sinds wanneer rijden pijpfitters Mercedes?'

We wisten allemaal dat de auto waarin hij altijd reed van de zangeres was.

'Loodgieter, hond! Die van mij staat in de garage. Een dikke SUV, dus blijf maar uit mijn buurt!' dreigde de proleet, van wie ik vermoedde dat hij deze dingen riep vanwege een verhaal dat ik een paar weken eerder geschreven had. Daarin had ik onthuld dat hij een dubieuze achtergrond had, gezeten had voor belastingfraude, en met aan zekerheid grenzende waarschijnlijkheid achter het kapitaal van de in financiële kwesties al eerder naïef gebleken zangeres aan joeg.

In mijn stuk hadden termen gestaan als 'mannelijke groupie', 'charlatan' en 'blut', en ik begreep nu dat hij dat niet als heel positieve publiciteit ervoer. Mijn grondige onderzoek naar hem had elke letter in die richting echter gebillijkt.

De minnaar uitte nog enkele andere fysieke dreigementen en beet mij toe dat ik nooit meer hoefde te rekenen op een interview met zijn bekende vriendin. 'Ze haat je net zo erg als mij!'

'Als ík,' zei ik. 'Althans, ik neem aan dat je mij bedoelt.'

Dat ging iets te snel voor de man. Briesend liep hij door.

Mijn artikel was geïllustreerd met paparazzifoto's die we van de zangeres en hem hadden gemaakt in het Vondelpark. Ze had hem voortdurend vol op de bek gepakt, schuin over zijn schouder kijkend of ze er wel op stonden – de zangeres, die binnenkort ook een nieuwe cd uitbracht, had de fotosessie van tevoren tot in detail met mij doorgenomen. We mochten ook tien cd's weggeven aan de lezers.

'Zorg je dat je fotograaf mij vooral van de vóórkant maakt?' had ze temerig gevraagd. 'En mijn vriend mag van niets weten, hè. Hij kotst op jullie allemaal!'

Dat zijn onwelriekende doopceel meteen in het artikel meegenomen was, kon de zangeres blijkbaar weinig schelen. 'Ik stond er echt heel goed op! Kusjes voor de fotograaf!' had ze mij ge-sms't toen de editie met het verhaal in de winkel lag.

Toen ik vroeg wat ze zelf van mijn bevindingen over haar vriend vond, sms'te ze: 'Ach, op iedereen is wel een vlekje te vinden. Hij heeft een mollig babyarmpje tussen zijn benen en kan uren doorgaan. Dáár heb ik hem voor gecharterd!'

Mocht die plebejer moeilijk gaan doen, dan liet ik hem die sms wel even zien.

Toen ik klaar was op het feestje, haalde ik mijn jas op bij de garderobe, scande de *goodiebag* (waarin het album van de gastheer, een oud exemplaar van *Veronica Magazine*, een flesje bronwater en een tegoedbon van sauna De Zwaluwhoeve zaten), gaf het tasje buiten aan een zwerver, en stapte in mijn auto.

Ik had zin in normale mensen en reed naar huis. Nadat ik de Alfa in de garage had gezet, liep ik naar het Palladium, bestelde daar aan de bar een vaasje bier, en daarna nog twee. Na nog een Bacardi-cola koerste ik vrolijk af op de Kerkstraat.

Begeleid door Diana Krall stuurde ik vanuit de Eamesstoel een sms aan Faye.

Woensdag 02:01 uur
Was leuk maandagavond. Wil je graag weer zien. X Tycho

12

Donderdag 20:40 uur
 Ja was gezellig. Groetjes Faye

Donderdag 20:41 uur
 Wil je graag dit weekend zien. Gaan we wat leuks doen.

Donderdag 23:05 uur
 Haha

Donderdag 23:05 uur
 Haha?

Vrijdag 11:30 uur
 Ah joh, het was leuk zoals het was

Vrijdag 11:32 uur
 Kan nog leuker hoor ☺ XT

Vrijdag 12:00 uur
 Hallo? Faye? Anybody home?

Vrijdag 17:01 uur
 We zien elkaar vast nog wel een keer. In de supermarkt of zo ☺

Vrijdag 17:01 uur
 Wat jij wil ☺ Morgenochtend koffie, Jurassic Park Lindenhof?

Vrijdag 17:03 uur
 Haha

Vrijdag 17:03 uur
 Dat neem ik als een ja ☺ Zie ik je daar om 11:00 uur! XT

Vrijdag 23:23 uur
Wie weet spreken we nog wel een keer af

Vrijdag 23:23 uur
Faye! Doe eens leuk! Een kop koffie! We gaan niet naar het stadhuis of zo!

Vrijdag 23:50 uur
Oké. Maar alleen koffie. Heb weinig tijd. Luuk is mee, heb ik het weekend

Vrijdag 23:51 uur
Zal ik een oppas regelen? Meteen het hele weekend? ☺ Prima. Tot dan!

13

Voor de automatische schuifdeuren van het overdekte winkelcentrum Lindenhof stond een daklozenkrantverkoper, die leek op mijn Egyptische shoarmadealer uit de Rivierenbuurt. Hij zei overdreven formeel goedemorgen. Ik knikte naar de man en liep naar binnen.

Een bijzondere geurmelange bereikte mijn neus. Bloemen. Vis. Kaas. Noten. Leer. Schoonmaakmiddel. Gegrilde kip. Oude mensen.

Ik liep naar het midden van het winkelcentrum, naar het plein waar ik met Faye had afgesproken. Daar stond ze, voor een winkel in 'hoorcomfort'.

Ze zwaaide en lachte. Aan haar linkerhand had ze een blond joch met een New York Yankees-pet op, die hij met de klep naar achteren droeg.

Het was vijf dagen geleden dat ik haar voor het laatst gezien had, maar ze was nog net zo lekker als in mijn herinnering. Ze droeg een spijkerbroek, donkerbruine laarzen eroverheen, een beige vest en een wit overhemd.

Ik checkte subtiel haar achterkant. Prima.

Onder de pet van Luuk kwamen blonde plukken haar vandaan. Hij droeg knalrode Converse All Stars, en had een eigenwijs, bleek gezicht met een paar scheve tandjes.

Ik gaf Faye drie kussen en begroette Luuk, iets door mijn knieën zakkend.

'Hoi Luuk, ik ben Tycho.'

Luuk keek mij uitdagend aan. 'Zeg eens wat terug,' zei Faye.

'Ik ben allergisch voor paarden,' zei Luuk.

'Vervelend,' zei ik, en wees naar het terras. 'Zullen we gaan zitten?'

Er stonden tafels met plastic rieten stoelen. De tafels leken van hout, maar waren dat niet. Op elke hoek van het terras, dat was afgeschermd van het plein door een groen stalen tuinhek, stond een buxusachtige nepplant. Boven het terras zweefden twee grote witte parasols. Er was vermoedelijk geprobeerd een mondaine, Zuid-Europese sfeer te creëren.

In het midden was nog een tafel vrij. Om er te komen, moesten we om enkele slordig geparkeerde rollators heen laveren.

Terwijl ik oogcontact zocht met het meisje van de bediening, keek ik rond.

Vanachter de tafel naast ons werd ik aangestaard door een bejaarde vrouw met doorzichtig wit pluishaar, die niet snel een prijs zou winnen voor het best zittende gebit. Verderop beloerde een Indisch opaatje mij met donkere, priemende ogen.

Faye zag mij kijken. 'Ze wonen om de hoek, in een instelling. Volstrekt ongevaarlijk.'

'Mam, ik verveel me,' zei Luuk.

'Goh, een record. We zitten net één minuut,' zei Faye.

'Maak een tekening,' suggereerde ik. Ik wenkte het meisje van de bediening. 'Heb jij wat papier en een pen voor deze kunstenaar?'

'Ik ben geen kunstenaar,' zei Luuk.

Tegelijk met onze bestelling arriveerden een blocnote en een fineliner.

'Laat Tycho maar eens zien hoe goed jij kunt tekenen,' zei Faye.

Gemok.

'Ik weet niet wat.'

'Een auto?' probeerde ik.

'Wat voor auto heb jij?' vroeg Luuk zonder op te kijken.

'Een Alfa. Een supersnelle,' zei ik. Jongens en auto's: altijd succes!

'Alfa's zijn stom. Mijn vader heeft een Porsche GT3. Die kan driehonderd,' riep Luuk fel.

Faye greep hem bij de arm en trok hem zijn stoel uit. 'Nou ben ik het zat. Buiten afkoelen! Nu! Ik schaam me dood voor je.' Ze bloosde. 'Sorry, ik weet niet wat hij heeft.'

'Een vader met een GT3,' zei ik.

'Zijn vader is kaal. Jij hebt tenminste haar,' zei Faye.

Eindelijk was ik alleen met Faye. Misschien zou ze Luuk glad vergeten en werd hij meegenomen door een wanhopig kinderloos echtpaar, bij wie hij het goed zou hebben.

Maar na een paar minuten zei Faye: 'Ik ga Luuk halen. Het is toch best koud buiten.' Ze stond op en liep richting de automatische schuifdeuren.

'Hij was de daklozenkrantverkoper gaan helpen,' zei Faye toen ze terugkwamen.

'Gaan we naar huis?' vroeg Luuk.

'Hou nou eens op. Ik wil koffiedrinken met Tycho. Ik vind je erg irritant en ik wil dat je Tycho je excuses aanbiedt!'

Luuk keek haar aan. 'Wat is dat?'

'Dat je sorry zegt. Doe dat, ik meen het.'

Luuk keek naar mij en zei: 'Sorry.'

Ik glimlachte. 'Oké. Excuses geaccepteerd.'

Ik moest van deze blaag afkomen, zoveel was mij duidelijk. Op deze manier kon ik natuurlijk geen werk van Faye maken. Ik vond haar lekker, had zin om haar mee te nemen naar mijn appartement. Samen in bad, om te beginnen. Daarna zou ik haar een massage geven.

Ik twijfelde of ik zou zeggen dat ik dringend naar een afspraak moest zodat ik nog wat aan mijn zaterdag had, en Faye later die dag zou sms'en dat ze welkom was zodra Luuk bij zijn vader was. Maar ik besloot het over een andere boeg te gooien.

'Zeg Luuk, wat is nu eigenlijk het leukste speelgoed voor stoere jongens als jij?'

'Wat dan?'

'Nou, ik dacht: misschien kunnen we samen even naar Blokker lopen, en dat jij mij dan aanwijst wat jongens van zes vet of cool vinden, of hoe heet zoiets.'

Hij stond meteen op. 'Vet!'

'Tot zo,' zei ik tegen Faye, die mij hoofdschuddend maar ondeugend nakeek.

Bingo! Daar was dat lachje van afgelopen maandag weer – dat stiekeme, geile lachje. Dat lachje maakte goed dat ik nu met een wildvreemd kind naar een speelgoedafdeling liep.

Luuk wist precies waar hij zijn moest. Helemaal achterin, bij de lego, hield hij stil. Hij wees naar een doos met daarin een Bionicle, een robot. 'Toa Hordika: half robot half mens' stond er op de doos.

'Vind je die mooi?'

Hij keek mij niet-begrijpend aan en zei aarzelend: 'Ja.'

'Oké. Dan heb ik een idee: omdat ik het zo leuk vind dat ik je vandaag heb leren kennen en omdat ik hoop dat we vrienden worden, wil ik je die als cadeau geven. Vind je dat wat?'

Ik hoopte dat hij me zou geloven. Ik hoopte dat ik mezelf geloofde.

Luuks ogen werden groot.

'Echt?' zei hij.

'Echt!' zei ik.

'Vet!' Er brak een brede lach door op zijn gezicht toen hij de Bionicle pakte.

'Is dat de goede?' vroeg ik. 'Deze had je nog niet?'

'Ik heb nog geen Bionicles,' zei hij. 'Ik mocht hem als kerstcadeau vragen.'

'Dan heb je die alvast binnen,' zei ik. 'Kom Luuk, we gaan naar de kassa.'

Luuk liep hollend terug naar Faye, die zat te sms'en.

'Máám! Ik heb een Bionicle!'

'Wat? Echt? Dat heb je helemaal niet verdiend, zo vervelend als je de hele tijd was!' zei ze. Ze keek quasibestraffend naar mij. 'Dat ding kost zeventien euro.'

'Ah, joh. Luuk en ik zijn vrienden geworden en dan geef je elkaar weleens een cadeau. Toch, Luuk?'

'Excuses geactiveerd!' zei hij.

14

Zaterdag 21:02 uur

Je hebt vrienden gemaakt ☺ Luuk is dolblij met die robot. Hij heeft hem al in elkaar gezet. Wel geholpen. Je moet geen reuma hebben met die ministukjes. Lief van je hoor. Hee, fijn weekend X Faye

Zaterdag 21:02 uur

Je bent grappig. Vond de mama van Luuk het ook leuk? Of was ze erg teleurgesteld dat zij niets kreeg bij Blokker? Braadpan? Portie wasknijpers? XT

Zaterdag 21:07 uur

☺

Zaterdag 21:07 uur

Ben je aan het doen? XT

Zaterdag 21:10 uur

Lig op bank film op tv te kijken. Iets met ontsnapte hongerige roofdieren in een pretpark vol blinde kinderen op hun eerste schoolreis. Veel au aan ledematen. Echte feelgood movie ☺ Luuk net in bed.

Zaterdag 21:10 uur

Iets voor mij ☺ Zulke films moet je nooit alleen kijken. Ga je eng van dromen.

Zaterdag 21:12 uur

Daarom heb ik mijn stoere buurman gevraagd naast me te komen liggen zodra zijn vrouw slaapt ☺ Hé ik ga even verder kijken, de blinde kinderen gaan nu wraak nemen. Doei! X Faye

Zaterdag 21:13 uur

Zal ik langskomen?

Zaterdag 21:19 uur
    Niet nodig ☺

Zaterdag 21:19 uur
    Niet nodig. Wel leuk. ☺

Zaterdag 21:21 uur
    Vast ☺ Maar ben moe.

Zaterdag 21:21 uur
    Ben ook moe. Kunnen toch samen moe zijn. Leuker.

Zaterdag 21:22 uur
    Slaap lekker Tycho

Kut.

Zaterdag 21:24 uur
    Oké. U2.

15

Zondag 23:20 uur

Komende vrijdag. 19:00 uur. Regge 12. Jij reserveert een restaurant, ik trek mijn mooiste jurk aan. Faye

16

Faye woonde op een woonerf, in een doorsneebuurt uit de jaren zeventig waarmee ons land volgeplempt lijkt. Uit de tijd van *De Mounties* en *Ren je Rot*. Twee blokken inwisselbare eengezinswoningen, een strak rijtje drive-ins, drie patiobungalows en vier tweekappers. Kliko's in grijs en groen voor elke deur, een eenzaam klimrek waaronder een lelijk hondje trillerig iets lichtbruins uitperste terwijl het baasje de andere kant op keek, en kerstverlichting. Héél véél kerstverlichting: voor ramen, aan deuren, in tuinen. Bij Faye zat die rondom twee buxusbollen gedraaid, die aan weerskanten in zwarte, vierkante, tinnen bakken voor de deur van haar drive-in stonden.

Ik belde aan.

Faye deed open in een simpel maar sexy zwart jurkje, dat op maat gemaakt leek. Ze zag eruit alsof ze binnen vijf minuten een covershoot voor *Vogue* had.

'Wow,' zei ik.

'Kom, we gaan,' lachte ze, pakte haar jas en trok de deur achter zich dicht.

Ik had besproken in restaurant Belle, in het Utrechtse plaatsje Oud Zuilen. Een romantisch plekje aan de Vecht, genoemd naar de schrijfster en componiste, die ruim tweehonderd jaar geleden in het naastgelegen Slot Zuylen had geresideerd.

De eerste stilte tussen Faye en mij viel pas na het diner, op de parkeerplaats onder de bomen. Daar zoenden we.

Faye zoende heerlijk. Zacht, afwachtend, dan weer plagend. Geen bijsmaakjes.

'Lekker,' zei Faye na een tijdje. 'Heel lekker.'

Ik pakte haar vast bij haar heupen en trok haar tegen me aan. 'Wie had dat ooit gedacht,' zei ik, 'Faye Clark in haar OshKosh.'

'En Tycho Ittervoort, de ont-hul-lings-jour-na-list.'

Ze duwde haar tong in mijn mond. Ik drukte mijn stijve tegen haar aan, maar ze gaf weinig sjoege in die richting.

'Zullen we gaan?' zei ik na een poosje.

'Waarheen?'

'Jouw huis.'

'En dan?'

'Ik wil die buxusbollen voor je deur nog wel een keertje goed bekijken.'

Faye lachte en pakte mijn handen van haar heupen. 'Aha, meneer is een natuurliefhebber!'

'Ik ben dol op de natuur,' zei ik, terwijl ik mijn handen subtiel op haar billen legde. 'Ik ben vaak in de natuur te vinden ook...'

Ik greep haar weer stevig vast en kuste haar hals, die heerlijke hals met die opwindende geur.

Faye duwde zich los en pakte mijn handen vast. 'Luister eens, Tycho,' zei ze, ineens serieus. 'Ik vind het heerlijk, jij bent heerlijk, maar ik ben niet op zoek naar meer. Laten we het niet ingewikkeld maken.'

Ik moest glimlachen om haar plotseling fronsende gezicht, en kuste haar op haar wang. 'Maak je geen zorgen, Faye. Ik ook niet. Kom, ik breng je naar huis.'

'Mijn kin is tot op het kaakbot afgeschuurd,' zei Faye toen ik het woonerf op reed.

'Ik zal me de volgende keer scheren,' beloofde ik.

'Volgende keer?'

'O ja, macht der gewoonte. Sorry, het zal nooit meer gebeuren.'

'Nooit meer, hè?'

'Nooit meer, beloofd.'

'Kom je nog even binnen? Ik heb daar een ficus, een philodendron, een vingerplant...'

'Hm, een vingerplant?'

'Die is te makkelijk, Tycho.'

'Oké, dan zou ik graag je philodendron wat nader willen onderzoeken. Als dat mag.'

De drive-in was vrouwelijk ingericht, vond ik. Houten lijstjes aan de muur met zwart-witfoto's, veel kussens op de luie, chocoladebruine driezitsbank, een hoge vaas met witte lelies en spullen met Franstalige opschriften. Op de salontafel stond een geurkaars, die Faye aanstak. Patchouli. Langs de muur lag wat speelgoed op de grond.

De inrichting, die niet verder van mijn eigen smaak verwijderd had kunnen zijn, had opvallend genoeg een sfeer die warm aanvoelde. Ik plofte neer op de bank en deed mijn schoenen uit.

Faye zette een achtergebleven longdrinkglas van de oppas, een buurmeisje dat ze net had uitgelaten, in de vaatwasser en haalde geroutineerd een gele vaatdoek over het zwarte granieten aanrechtblad, terwijl ik haar vanaf de bank bespiedde. Ze zag er zo van achteren uit om in te bijten.

'Kom je zitten?' vroeg ik.

'Wil je niet weten waar de philodendron staat?'

'Ik wil liever wat drinken.'

'Komt eraan,' zei Faye, nu druk doende met de vaatdoek iets van het stalen fornuis te verwijderen, zag ik via de spiegel aan de muur.

'Ben je altijd zo aan het poetsen?' vroeg ik.

'Ze noemen mij Miss Pledge. Je schijnt op mijn eettafel te kunnen sjoelen.'

'Heb je geen werkster?'

'Ja. Valesca. Een Poolse. Maar jij denkt dat één keer in de week een werkster je huis dagenlang schoonhoudt?'

'Geen idee. Die van mij komt twee keer in de week en ik hoef er verder niets aan te doen.'

'Jij woont alleen en hebt geen kind.'

Faye hing de vaatdoek over de kraan, liep naar de ijskast en haalde daar een fles wit uit. Ze draaide de schroefdop eraf, rook even aan de fles en schonk toen twee wijnglazen in, die ze voor ons op de salontafel zette. Daarna drukte ze de muziek aan. Er zat al een cd in. The Carpenters. Gruwelijk.

'Sweet Sweet Smile' klonk door de speakers.

'Heb je ook iets anders?' vroeg ik.

'Niet goed? Te saai zeker?'

Ze grinnikte en zette The Carpenters nog een tikje harder, voor ze naast me kroop, haar benen schuin over de mijne legde en mijn lippen zocht.

Het zoenen met Faye was anders dan met andere vrouwen. Ik wist niet precies wat het was. Het voelde liever. Teder. Niet agressief. Minder ongeremd. Alles wat ik niet gewend was, eigenlijk.

'Ik heb een superleuke avond gehad, Tycho. Dat was lang geleden voor mij. Daten, ik haat het. Op onze leeftijd zijn kerels meestal getrouwd, afstotelijk of gay. In het ergste geval alle drie.'

Ik lachte. '*I'm all yours*,' fleemde ik vervolgens in haar oor.

'Vertel eens: wat schort er aan jou, dat je bijna veertig bent en nog geen serieuze relatie hebt?'

Pfff, daar gingen we weer.

'Moeten we het daar nu over hebben? Ik moet je nog heel veel zoenen en ik moet ook nog je philodendron bestuderen. Tegen de tijd dat we dáármee klaar zijn.'

'Effe serieus, Tycho,' zei Faye en op haar gezicht verscheen weer die frons.

'Nou, goed dan,' zuchtte ik. 'Ik denk om twee redenen. Ten eerste ben ik niet echt opgegroeid in een omgeving waar het bewijs werd geleverd dat samenwonen het beste in mensen naar boven haalt, en ervoer ik dat relaties zó kunnen klappen. Daarbij ben ik misschien wel ouderwetser en romantischer dan jij denkt, en zoek ik net zolang door tot ik de vrouw gevonden heb bij wie ik zeker weet dat het voor eeuwig zou zijn.'

Ik vond dat ik klonk alsof ik het volgende metrostation aankondigde in het openbaar vervoer van Amsterdam.

'Het kan natuurlijk óók zijn dat je geen zin hebt om volwassen te worden. Ik heb gewoon het idee dat jij van zoveel mogelijk walletjes wilt eten,' zei Faye.

Uh?

'Als je mij beter leert kennen, kom je er wel achter dat dat niet zo is,' loog ik, en schoof mijn rechterhand onder haar jurk.

Faye ging rechtop zitten. 'Tycho, ik ben gescheiden, zorg voor mijn zoon, en wil aan mijn lijf even geen polonaise.' Ze trok haar jurk recht en nam een slok wijn. 'Mijn huwelijk is na twaalf jaar gecrasht. En weet je waarom? Omdat die ex van mij dolgraag een tweede kind wilde en het mij niet lukte om weer zwanger te worden. Te oud, te weinig eitjes, de dokter verklaarde me min of meer onvruchtbaar. Luuk bleek een toevalstreffer te zijn geweest. Terwijl we het toch jaar in jaar uit bleven proberen, zag ik in Jens' ogen dat hij vond dat ik faalde als vrouw. Dat doet wat met je kan ik je verzekeren. Je eigenwaarde krijgt een knauw. Dat was niet de enige reden van onze breuk, maar wel een heel belangrijke. Voordat ik weer een man toelaat, moet er nogal wat gebeuren.'

Zat ik hier nou op een veelbelovend lijkende eerste date over vruchtbaarheid te praten? Het moest toch niet gekker worden.

'Rustig, rustig,' zei ik. Ik gaf haar een klapje op haar bovenbeen, en veerde omhoog. 'Weet je? Je hebt helemaal gelijk. Dit gaat ook veel te snel. Je zit nog midden in dat verwerkingsproces. Ik ben een dombo dat ik je gevoelens zo verkeerd heb ingeschat. Je bent voor mij veel te speciaal om het maar bij één spannende nacht te houden.'

'Ach. Eén spannende nacht? Dat was de inzet? Dan heb ik je goed ingeschat,' zei Faye, die ook opstond, met wat veel weg had van een teleurgesteld gezicht.

'Zó bedoelde ik het niet. Maar laat maar. Ik vond het leuk met je vanavond. We zullen het hierbij laten. Echt geen probleem,' zei ik op mijn vriendelijkst.

'Prima. We zien elkaar nog wel eens. Ik loop met je mee naar de deur,' zei ze.

Ik reed hard terug naar de stad, het was al na twaalven. In achttien minuten was ik thuis. In de Kerkstraat parkeerde ik de Alfa in de garage, bekeek mezelf snel in de binnenspiegel en liep via de deur naast het rolluik naar buiten.

Het was druk. Vrijdagavond. Frituurpubliek. De ME-bus stond al gereed op het plein. Vanaf de ijsbaan galmde een nummer van Luv' – ze zongen 'Welcome to Waldolala'.

De portier van het Palladium hield de deur al voor mij open en ramde mij op mijn rechterschouder. 'Tycho! Wat ben je laat? Moest je een schone onderbroek zoeken?'

Ik grijnsde terug en liep door, de mensenmassa in. De tent dampte. Hitte van lijven. Bloedmooi publiek. Geilheid. Seks in zicht!

Ik bestelde tussen een stel brallende Ralph Laurenkakkers door mimend een Bacardi-cola aan de bar.

In de verte stak de dj zijn duim naar mij op. Goeie gast, werkte daar al jaren.

Er prikte iemand een vinger in mijn bilspleet. Het was Pippi Langpijp, zoals we haar noemden. Een geile Arubaanse met een lampenkap van blond geverfde krullen, die een reputatie had vanwege haar orale uithoudingsvermogen. Pippi (hoe ze echt heette, we hadden géén idee) droeg altijd witte pumps. Zalig. Ralph was de enige van ons drieën die ooit in een dolle bui van haar talent gebruik had gemaakt, maar dat moest wel onder ons blijven.

'Hai,' zei Pippi, met haar zwoelste lach. Ze beet vervolgens in mijn linkeroor.

'*Dushi! Bon nochi*,' zei ik grijnzend, over mijn oorlel wrijvend.

'Hoe gaat ie?'

'Alles top, Tychobaby. *You?*' Ze zoog wat suggestief aan haar mojito-rietje.

'Niets te klagen. Dus dat doe ik dan maar niet,' zei ik, om mij heen kijkend.

Niemand om moeite voor te doen, zag ik vrij snel. Dan kon ik net zo goed naar huis.

'Ben zo terug,' zei ik tegen Pippi, die haar schouders ophaalde. Ik gaf een kus op haar wang, en bewoog met stevige tred door de menigte richting de deur.

'Even iets halen thuis,' zei ik tegen de portier.

De frisse decemberlucht deed mij goed. Ik haalde een paar keer diep adem. Lang uitademen, kort inademen.

Binnen een paar minuten was ik thuis.

Ik kleedde mij uit, dumpte mijn kleding op de grond en poetste tien seconden pro forma mijn tanden.

Ik wilde zo snel mogelijk mijn bed in.

17

Ingmar: 'Niet normaal hoeveel lekkere wijven er hier elke keer weer rondlopen. *I like.*'

Ik: 'Helaas zijn wij niet de enige drie die dat weten.'

Ralph: 'Het Palladium is inderdaad een hengstenbal aan het worden. Niet goed.'

Ik: 'Ik sprak Pippi Langpijp hier nog, gisteravond. Ze vroeg naar je, Ralph.'

Ralph: 'Pippi Langpijp... Een vakvrouw! Nooit mijn nummer geven, hè?'

Ik: 'Nee? O shit. Nee, atleet – natuurlijk niet. Hoe is het met de dames thuis?'

Ralph: 'Ander onderwerp.'

Ingmar: 'Ik pas ook even.'

Ik: 'Gezeik?'

Ingmar: 'Pfff. Ik doe te weinig in huis. Met de kinderen. Met haar. Huilie huilie.'

Ralph: 'Die van mij komt kennelijk uit dezelfde hel. Wat hebben al die wijven?'

Ik: 'Ik had jullie nog zó gewaarschuwd. De Havenzangers zongen niet voor niets "Trouw niet voor je veertig bent. En alle geheimen van het huwelijk kent".'

Ralph: 'Hadden we maar naar die gasten geluisterd.'

Ingmar: 'Ik ben soms weleens jaloers op je, Tycho.'

Ralph: 'Altijd wel, eigenlijk.'

Ingmar: 'Ja, dat bedoel ik.'

Ik: 'Terecht.'

Ingmar: 'Doe je het nog met die geile blonde intercedente met die zachte g?'

Ralph: 'Natte lik!'

Ik: 'Jongens, jullie lopen achter! Die cardiologe was de laatste.'

Ingmar: 'O ja. Wat mankeerde daar ook alweer aan?'

Ik: 'Ze moest drie zoons, een hond en een Range Rover. En een beetje snel graag.'

Ralph: 'Ze was wel lekker.'

Ik: 'Ze was goddelijk. Die benen... oei-oei-oei. Maar ik heb al een ander projectje lopen. En, amices, het is géén onbekende.'

Ingmar: 'Cindy Crawford?'

Ralph: 'Stephanie van Monaco?'

Ingmar: 'Patty Brard?'

Ralph: 'Guus Meeuwis?'

Ik: 'Lul. Nee, Faye Clark. Van school! Die Amerikaanse.'

Ralph: 'Die rooie?'

Ingmar: 'Dat was toch helemaal geen lekker wijf?'

Ik: 'Nou, ik kwam haar tegen op de modebeurs: die is prettig opgedroogd, hoor.'

Ralph: 'Als jij het zegt.'

Ingmar: 'Bel haar! Laat haar hierheen komen! Ik wil het met eigen ogen zien!'

Ik: 'Haha, dat zal niet gaan, vrees ik.'

Ralph: 'Want? Ze heeft geen telefoon? Geen benen?'

Ik: 'Ze heeft een kind.'

[stilte]

Ik: 'En ze woont in Amstelveen.'

[stilte]

Ik: 'En we hadden meteen al ruzie, op onze eerste date gisteravond.'

[stilte]

Ingmar: 'Jezus, Tycho.'

Ralph: 'Is ze wel lekker in bed?'

Ik: 'Jongens...'

Ingmar: 'Ai, Tych! Er is nog niet eens geneukt? *What the fuck's happening?*

Hé, Ray! Geef Tych hier een dubbele wodka, hij heeft het heel hard nodig!'

Ralph: 'Vind je haar leuk? Als in "echt leuk"?'

Ik: 'Ik weet het niet. Ze heeft wel iets, ja. Maar dat kind en zo. Net gescheiden, en... ze wilde op onze eerste date praten over "gevoelens". Wat moet ik ermee?'

Ingmar: 'Wegwezen, man.'

Ralph: 'Echt. Wegwezen.'

Ik: 'Het irriteert mij gewoon. We hadden het serieus heel erg gezellig. En ze is lekker. Ze heeft klasse, dat is het. En humor, maar dan leuke. En ik heb zin om haar weer te zien. In fokking Amstelveen.'

Ingmar: 'Klinkt als een héél slecht plan, Tych.'

Ik: 'Hm, ik vrees het ook. Waar is die wodka?'

Ralph: 'Ray!'

Ingmar: 'Ray, doe er maar drie!'

Ik: 'Ik ben even zeiken. Kutzooi.'

18

Zondag 03:07 uur

Faye Clark: Tycho hier. Het spijt me van vrijdagavond. Maak het graag goed. Jij mag zeggen hoe.

19

Zondag 21:34 uur
Aankomende donderdag, 11 uur, mijn huis.

Zondag 21:36 uur
Dat is... tweede kerstdag??

Zondag 22:07 uur
Succes!

20

In de binnenspiegel checkte ik mijn neusgaten op andijvieachtige substanties, ademde in mijn handpalm, rook eraan, prima, wreef nog wat slaap uit mijn ooghoek, en stapte zelfverzekerd de Alfa uit, die ik haaks op de Mini van Faye had geparkeerd.

Het was drie voor elf in de ochtend, tweede kerstdag.

Normaal lag ik nu op mijn bed uit te buiken, omringd door even dikke kranten, blij dat ik nergens heen hoefde, na eerste kerstdag met familie, een bacchanaal van zuipen en vreten en daarna nog meer zuipen en vreten. Een handvol Rennies vermalend, was ik altijd opgelucht dat die jaarlijkse ellende weer achter mij lag.

Uit de achterbak tilde ik een papieren tas. Onderwijl keek ik omhoog, naar het raam op de eerste verdieping. Luuk keek mij aan vanaf het aanrecht. Hij riep iets de kamer in, daarna verdween hij ineens uit het zicht.

Ik bliep-bliepte mijn auto dicht en liep naar de voordeur. Voordat ik de bel kon indrukken, zwaaide de deur open.

'Zijn dat cadeaus?' vroeg Luuk, terwijl hij achterover aan de deurknop aan de binnenkant hing.

'Dag Tycho, zeg je dan, wat ont-zet-tend leuk dat je er bent!' antwoordde ik.

Luuk giechelde, draaide zich om en riep in het trapgat: 'Mam! Hij heeft een tas!'

'Natuurlijk heeft Tycho een tas,' zei Faye, terwijl ze naar beneden kwam. Ik zette de tas neer en trok mijn jas uit. Ik gaf Faye een kus op elke wang en legde mijn hand wat onwennig op haar schouder. 'Gelukkige kerst,' zei ik.

Faye glimlachte en gaf me een vluchtige kus op mijn mond. 'Goed dat je er bent. Kom verder.'

Ik rook koffie en een zoete baklucht. Naast de bruine driezitsbank stond een met ballen en snoep opgetuigd kerstboompje in een goud gespoten bloempot. Op de salontafel crèmekleurige, geribbelde wedgwoodschaaltjes, dezelfde als mijn moeder had, met stukjes banketstaaf erin. De inrichting leek nog truttiger dan de vorige keer, maar het straalde een gezelligheid uit die ik al lange tijd niet meer had ervaren in een huis.

Luuk ging op zijn knieën zitten tekenen. Aan zijn geblokte sokken kleefden witte pluizen van het hoogpolige vloerkleed.

'Wat teken je?' vroeg ik hem, terwijl ik de tas naast mijn stoel neerzette.

'Een pretpark met achtbanen en een caravan waar je gratis pizza kan kopen,' antwoordde hij.

'Gratis betekent doorgaans dat je het niet hoeft te kopen,' zei ik.

'Doorgaans,' herhaalde Luuk, krassend met een geel potlood. 'Doorgaans.'

'Eh, Luuk is zes,' grijnsde Faye. 'Hij kent honderd woorden. Doorgaans zit duidelijk nog niet in zijn vocabulaire. Koffie?'

'Mam, wat is vocalaire?' Luuk tekende nog snel een rood vierkant vlak en liet mij de tekening zien.

'Dat ziet er goed uit. Dit hier is zeker de pizzacaravan?' zei ik, op het rode vlak wijzend.

Luuk klom op mijn schoot. Ik wist niet goed waar ik mijn handen moest laten.

Faye kwam met een dienblad terug uit de keuken. Ze keek verrast naar Luuk.

'Best leuk met Tycho, hè?' zei ze.

Hij knikte en drukte zijn achterhoofd een paar keer tegen mijn kin aan.

'Wat zit er nou in die ta-has?' vroeg hij.

'Luuk! Niet zo brutaal!' zei Faye. 'Maar... wat zít er eigenlijk in die tas?'

'Ik heb voor jullie een gepast kleinigheidje gekocht. Voor de kerst.' Ik knipoogde naar Faye.

'Echt? Wat lief! Wat een verrassing,' zei Faye. 'Wij hebben helemaal niets voor jou. Wat stom.'

'Mmm. Dat is niet zo mooi. Misschien moet ik die van mij dan ook nog maar even bewaren,' schmierde ik, vooral richting Luuk.

'Nee!' riep hij. 'Cadeaus! Cadeaus!' Hij bonkte op en neer op mijn schoot, en raakte met zijn achterhoofd pijnlijk mijn kin.

'Oké, Luuk,' zei ik. 'Maak jij de tas maar open.'

Hij gleed van mijn schoot af en keek in de tas. 'Wat is dit?' vroeg Luuk toen hij daar een pot met een vrij miezerig bonsaiboompje uit tilde.

'Dat is de natuur,' zei ik. 'Voor je moeder.'

Faye keek me ondeugend aan en schoot in de lach. 'Wat is ie... apart,' zei ze toen ze het plastic van het boompje had gewikkeld en het geval op de tafel zette.

'Hij heeft veel liefde en aandacht nodig, heb ik me laten vertellen. En héél veel tegen hem praten over van alles en nog wat schijnt de groei te bevorderen.'

'Nou, dan zullen we dat maar heel veel doen. Praten. En aandacht geven.'

'En nu ik!' riep Luuk.

Bij Porsche-importeur Pon in Leusden had ik een lijvig boek over de Porsche 911 gehaald. 'Mama zei dat je dat zo'n coole auto vindt,' zei ik toen hij het papier had losgescheurd.

Luuk bladerde gebiologeerd door het glanzende naslagwerk. 'Vet! Mag ik hem meenemen naar mijn vaders huis. Papa heeft een GT3. Die kan driehonderd.'

'Ik weet het,' zei ik.

Faye keek mij aan. 'Ik denk dat je dit prachtige cadeau maar gewoon hier op je kamer moet laten liggen, Luuk. Tycho heeft het speciaal voor jou meegenomen. Geef hem maar eens een dikke kus.'

'O, dat hoeft niet, hoor,' zei ik.

Maar Luuk zei al 'oké' en gaf mij een natte kus op mijn wang. 'Wil je mijn kamer zien?' vroeg hij.

Als jij nou eens alleen naar je kamer gaat, en ik met je moeder op de bank ga zitten, dacht ik.

'Heb je een mooie kamer?' rekte ik, hopend dat Faye me zou redden. Maar die zei: 'Neem Tycho maar eens mee naar boven. Zet ik alvast wat op tafel.'

Luuks kamer had veel weg van een speelgoedtentoonstelling na een explosie. Op de vloer lagen auto's, lego, robots, knuffelbeesten en andere, ondefinieerbare troep kriskras door elkaar. Er stond een blankhouten hoogslaper met een bureau eronder, dat van boven tot onder beplakt was met stickers. Op de lange muur links hing een poster met alle Porschemodellen, op de korte muur een stalen hertenkop met een aantal petten aan zijn gewei.

'Dit is mijn kamer,' zei Luuk. Hij keek schuchter naar de rotzooi op de grond.

'Ja,' zei ik. 'Mooi.'

Stilte.

'Je hebt veel speelgoed,' zei ik maar.

'Ja,' zei Luuk. 'Ik moet van mama mijn kamer opruimen. Maar ik vergeet het steeds. Waarom heb jij geen kinderen?'

'Hoezo?'

Hij pakte een dinosaurus met een gele vlammentong van de vensterbank. 'Dit is een T-Rex,' zei hij, en gaf het rubberen gevaarte aan mij.

Ik bekeek de dino aan alle kanten. 'Jee, wat een gaaf ding, eh, beest zeg. Heel gevaarlijk, lijkt me. Daar moet je voor uitkijken!'

'Gaaf?' vroeg Luuk, terwijl hij mij aankeek.

'O ja, sorry. Vet bedoel ik natuurlijk,' zei ik.

'Het is geen beest. Het is een dino,' zei Luuk.

'Prima, joh. Een dino. Héél vet.'

Ik gaf Luuk de dino terug. 'Erg mooi, je kamer. Ik ga weer naar beneden,' zei ik.

'Ik heb ook nog andere dinosaurussen,' zei Luuk. Hij wees op een plastic bak. 'Daarin.'

Ik glimlachte naar hem. 'Laten we die een andere keer bekijken. Anders zit je moeder helemaal alleen. Ga jij nog maar even lekker verder spelen, hier.'

'Kom je dan nog een keer?' vroeg hij.

Goeie vraag.

'Vast,' zei ik.

Toen ik de trap af liep, hoorde ik muziek van Michael Bublé. Faye had nog wat kaarsen aangestoken en een paar met boter besmeerde plakken kerstbrood op tafel neergezet. Ik ging op de bank zitten. 'Zeg, ik heb nog iets voor je.'

'Nog een stukje natuur?' zei Faye op plagende toon.

'Zoiets.'

De pot bodycream van Prada zorgde voor een verrast kreetje. Ze rook eraan. 'Lekker zeg! Zoiets duurs krijg ik niet vaak van een... eh... vriend,' lachte ze.

'Ik hoop 'm snel eens te ruiken bij je. Op je arm uiteraard,' zei ik, knipogend.

Faye liep aan haar hand ruikend naar de keuken. Ik viste mijn iPhone uit mijn broekzak en sms'te Ingmar en Ralph.

Donderdag 11:56 uur
    Fijne tweede kerstdag! X Tycho, Faye en Luuk

Ingmar sms'te meteen terug.

Donderdag 11:56 uur
    WTF!? Zit je in een delirium? Ben je bij Faye thuis? Met die zoon?! We
    liggen helemaal dubbel hier. Ik zeg: volgend jaar bij ons ☺

'Wat zit je te grijnzen?' vroeg Faye, terwijl ze een schaal met saucijzenbroodjes neerzette. 'Kijk uit, heet.'
    'Ingmar is nogal verbaasd dat ik hier zit, bij jullie, qua mijn afkeer
voor dit soort feestdagen.'
    Faye vlijde zich tegen mij aan en zoende me op mijn mond. Ik
legde mijn arm om haar heen, en kuste haar terug. Ik kreeg een
erectie. Faye legde er plagerig haar hand op. 'Zeg, wat is dit? Dat hadden we niet afgesproken, hè?'
    Als Faye op dat moment had voorgesteld om elkaar bruut te ne-
men, had ik ervoor gekozen op de bank te blijven zitten zoals we nu
zaten. Mijn tijd kwam nog wel.
    Maar mijn pik bleef hard. Ik legde er een kussen op.

21

De volgende dag stond Faye volkomen onverwacht voor de deur in de Kerkstraat, waar ze 'toevallig' in de buurt was omdat ze haar winkel in de Kalverstraat had bezocht. Ze was benieuwd geweest hoe ik woonde, zei ze, toen ik een cappuccino voor haar maakte. Ik vond het leuk dat Faye er was, maar het had ook iets beklemmends – ik had haar gisteren nog gezien. Terwijl ze mijn Bulthaupkeuken bewonderde en wat kastjes opende, had ik vliegensvlug alle vertrekken gescand op rekwisieten die uit beeld moesten blijven.

Wijnglazen met lippenstift, een vergeten shawl met vrouwenparfumgeur – dat soort dingen. Ik zag zo snel niets alarmerends, en gaf haar een rondleiding.

'Ik dacht trouwens dat je twee weken vrij was,' zei ik, gespeeld argwanend.

'Er waren problemen in de winkel. Ik had vandaag verder toch niets te doen – Luuk is tot na oud en nieuw bij Jens. Ik heb nog iets voor je.' Faye pakte een in plastic verpakte philodendron uit haar tas. De plant was nog lelijker dan die van haar. Als Faye van plan was vaker te komen, moest ik het wangedrocht dus nog laten staan ook.

'Hij past niet echt in je woonconcept, hè? Ik heb het idee dat ik in een dure interieurzaak rondloop. Het is indrukwekkend, maar heb je helemaal niets persoonlijks staan hier?'

Ik wees op de schilderijen en de lampen. 'De rest heb ik zo gehuurd,' legde ik uit. 'Ik ben er blij mee. Maar anders vraag ik voor mijn verjaardag wel wat houten ganzen, voor op de vensterbank. Jij hebt zeker je adresjes voor zulke spullen.'

Faye lachte. 'Dan ben ik eerst, trouwens. Ik word op 1 januari negenendertig.'

Na haar flitsbezoek had ik Faye niet meer gesproken. Ik wilde niets liever dan een nieuwe date voorstellen, maar op de een of andere manier wist ik niet goed hoe ik dat moest aanpakken; de kerstdag bij haar thuis was zo ontspannen verlopen, dat alles wat ik wilde sms'en in de vorm van een nieuw afspraakje dubbelzinnig leek te klinken, en een beetje fout aanvoelde. Faye stelde ook geen nieuwe date voor.

Ik besloot iets te bedenken voor haar verjaardag. Dan had ik nog vijf hele dagen.

22

'Mooie flat heb je, zeg. Is dit een penthouse?' vroeg het meisje. Ze keek met haar hoofd schuin taxerend naar het felblauwe schilderij boven mijn bank. 'Dat is zeker een Herman Brood?'

'Rechtsonder staat de naam: Pim Smit,' zei ik vanuit de keuken, waar ik een fles witte wijn ontkurkte, de goedkoopste die ik had.

Mijn oog viel op de philodendron die nog steeds op het aanrecht stond. Ik wikkelde het plastic eraf en gaf hem een beetje water.

'O ja. Dom van mij,' giechelde het meisje, dat ik inderdaad had geraamd op een IQ van de maximaal toegestane snelheid binnen de bebouwde kom. Sacha, Samantha – ik was haar naam kwijt. Iets met een s en een a. Nou ja, jammer dan.

Het was half twee 's nachts en ik was in het Palladium aan de praat geraakt met dit schepsel. Ze was begin twintig, zag er verschrikkelijk lekker uit, schaterde om mijn steeds flauwer wordende grapjes en toen haar vriendin naar huis was gegaan, bleef zij nog even hangen aan de bar. Ik deed nauwelijks moeite, want het was mij duidelijk dat het *easy* zou worden om haar mee te nemen. Ze had benen waar je tussendoor kon lopen zonder te bukken, en een moedervlekje op haar bovenlip. Ze was porno – de diepgang zat vermoedelijk tussen haar uitnodigende dijen.

Best even prettig, een potje anonieme seks op de zaterdagavond. Ik ging naast haar op de bank zitten en gaf haar het glas wijn. We namen allebei een slok, en toen pakte ik haar glas weer aan en zette het op de bijzettafel. Ik sloeg mijn arm om haar schouders en keek haar aan of ik George Clooney zelf was.

'Fijn dat je er bent,' zei ik. 'Weet je wat ik het allerliefst zou doen, nu?' fluisterde ik.

'Nee?' zei ze.

'Jouw zalige lippen zoenen,' zei ik, en bewoog me richting haar mond.

Ze deed haar lippen open en begon mij driftig te tongzoenen. Het voelde als een ventilator.

Dit was niet lekker. Zo kon ik me niet focussen. Ik draaide nog even een paar rondjes mee en trok toen mijn mond terug. Genoeg dit.

'Hé, eh... lieverd, ik ben éígenlijk ontzettend moe en ik moet morgen vroeg op. Wat dacht je ervan als ik een keer de tijd voor je neem die je verdient? Geef mij je nummer, dan bel ik je snel, oké?'

Ze keek verbaasd en teleurgesteld. 'O. Ja, oké.'

Ik liet haar uit.

'Ik moet je mijn nummer nog geven,' hoorde ik haar zeggen, toen ik de deur achter haar afsloot.

Ik pakte de philodendron van het aanrecht en zette de plant pontificaal op tafel.

23

In mijn slaapboxershort scrolde ik vanuit de Eamesstoel op mijn laptop door half Europa. Ik was wakker geworden met het idee om Faye te verrassen met een weekend weg, al viel haar verjaardag op een woensdag. Dan sloeg ik twee vliegen in één klap: ze zou het geweldig vinden, en we zouden eindelijk een keer de nacht samen door kunnen brengen.

Waar ik niet aan gedacht had, was dat veel hotels op oudejaarsavond vol zaten – naar welke stad ik ook keek op internet. Of er zat een zevengangendiner aan vast, met gerechten als gepofte zwezerik in eendenleverschuim, waarvan ik inmiddels wist dat ik Faye, en vooral mijzelf, daar niet bepaald een plezier mee deed.

Uiteindelijk vond ik iets in Antwerpen: het Radisson. Er was vanaf tien uur in de hotellobby een besloten jaren tachtig discofeest, voorafgegaan door een diner met normaal eten.

Tevreden en vol zelfvertrouwen boekte ik. Dit kon Faye toch niet weigeren?

Zondag 10:31 uur
> A.s. dinsdag haal ik je op, om 11.00u. Verrassing voor je verjaardag. Neem je zwemspullen mee. En je nachtjapon... O ja: je wordt thuisgebracht. X Tycho

Zondag 10:40 uur
> O jee!! Wat gaan we doen dan?? Ik vind dit denk ik iets te spannend. X

Zondag 10:41 uur
> Geen zorgen. Ik gun je een fantastische verjaardag, en we doen alleen maar dingen die jij leuk vindt. Beloof ik ☺ Ik zal mij als een monnik gedragen! XT

Zondag 10:42 uur
> Mag ik er nog even over nadenken? Je overvalt mij er een beetje mee. Niet gewend. X

Zondag 10:42

Oké, nagedacht. En ik vind het ontzettend lief van je! Kijk ernaar uit. X
Faye

24

Het hotel, een kasteelachtig gebouw met grote ronde ramen, lag pal tegenover het Centraal Station en de dierentuin. We kregen de sleutel van onze Junior Suite plus instructies voor het binnenzwembad, het diner en het discofeest. Ook werd ons meegedeeld dat zich in dit hotel het aquarium Aquatopia bevond, met 'maar liefst tienduizend exotische vissen, reptielen en haaien'.

'Goed opletten dat we de juiste deur naar het zwembad nemen,' grapte Faye, die had gezegd zich te verheugen op het avondprogramma.

Ik zeker.

In onze suite haalde ik zonder dat Faye dat zag een zak uit mijn weekendtas, en legde die in de minibar.

Ik liep even rond. Het zag er uitstekend uit. Schoon, het rook prettig. Er stond een zithoek met een roze tweezits en twee stoelen. Het bed was groot. Heel goed. De afstandsbediening van de tv schoof ik symmetrisch naast die van de dvd-speler.

Ik zei dat we gingen lunchen in de stad; ik had al gereserveerd. Later zouden we de tassen wel uitpakken.

'En de bedden uit elkaar schuiven,' zei Faye, met een brede glimlach.

'Het is één bed,' zei ik.

Ik wist: als ik moest, dan moest ik.

Maar ik had niet vaak gepoept in de nabijheid van een vrouw. Nooit, eigenlijk. Dat was niet voor niets.

'Ik ga nog even naar de wc,' zei ik, en hoopte dat het terloops overkwam.

'Oké,' zei Faye, terwijl ze op de stoel die het dichtst bij de badkamerdeur stond ging zitten. Ook dat nog.

Ik dacht na. Camouflagegeluid, dat had ik nodig.

De tv. Ik deed het apparaat aan, zapte snel naar CNN en zette het volume hoog.

'Jeetje, wat hard!' zei Faye, terwijl ze verschrikt opkeek uit een folder.

Ik zei 'sorry', zette de tv één standje lager en ging de badkamer binnen. Daar duwde ik de wastafelkraan vol open. Het water kletterde hard. Ik deed mijn broek los en ging zitten.

Behoedzaam perste ik. Ja, dat leek goed te gaan. Weinig sound. Gelukkig.

Ik deed de kraan weer dicht.

Te vroeg gejuicht: er ontsnapte alsnog een knetterende wind en enig gepruttel.

De kraan weer opengedraaid. Verdomme!

Ik veegde snel af, trok door, maakte mijn broek vast en waste mijn handen. Er hing een afschuwelijke walm.

Ik glipte zo nonchalant mogelijk de badkamer uit en sloot de deur snel.

'Zullen we dan maar?' riep ik overdreven vrolijk, terwijl ik de tv uitdeed.

'Ik heb er geen last van, hoor. Toiletgeluiden. Heel menselijk,' zei Faye.

We sloegen rechtsaf, naar de Frankrijklei. Die staken we over, de Jezusstraat in, de Meir op en iets verderop links, naar onze lunchbestemming: Horta. Een brasserieachtige tent, waar ik eens een Vlaamse zangeres had geïnterviewd. Daarna was ik mee naar haar flat gegaan. Anders stond ik toch maar in de file terug.

Faye koos de Thaise biefstuksalade, ik de steak tartaar, die had ik met die zangeres ook genomen. Ik bestelde een fles chablis, een Premier Cru Vau de Vey.

'Dank je wel,' zei Faye ineens.

'Bedoel je dat ik de rekening ga betalen? Faye! Wat rolbevestigend! Dat had ik van jou toch niet verwacht,' zei ik, en nam een hap van het smakelijke vlees. Die Vlamingen konden dat toch een stuk beter dan 'den Ollanders', bourgondisch eten bereiden.

'Ik bedoel: dank je voor je uitnodiging. Voor dit. Dit weekend. Voor... nou ja, voor ons.' Faye keek mij ernstig aan, en een beetje zielig zelfs, dus ik besloot de volgende grap te schrappen.

'Ik wilde je verrassen,' zei ik na mijn volgende hap. 'En je laten zien dat ik... nou, dat ik je echt leuk vind. Gewoon, dat eigenlijk.'

'Je wordt een beetje rood, meneer de onthullingsjournalist,' zei Faye zacht, terwijl ze haar hand uitnodigend open voor me op tafel legde.

Ik legde mijn hand in die van haar en kneep er even in. Ik zocht aarzelend naar de juiste woorden, naar iets uit het handboek *Hoe versier je een meisje met 100% succesgarantie!* dat ik in de loop van de jaren in mijn hoofd had geschreven, maar er kwam helemaal niets. Ik glimlachte, en haalde vlug mijn hand uit die van haar voor ik nog meer begon te blozen.

Na de lunch wandelden we wat rond, keken bij een paar galeries naar binnen, en dronken bij een verwarmde tent een glas glühwein – Faye had om de honderd meter gerapporteerd hoe koud ze het had. Toen het begon te sneeuwen, besloten we in het hotel te gaan zwemmen.

Terwijl we ons in de hotelkamer omkleedden, zei Faye: 'Oké, zullen we afspreken dat we vanaf nu allebei onze buik niet meer hoeven in te houden?'

'Welke buik?'

Faye was slank, maar niet te dun. Ze had lieve borsten, ik schatte cup B, met daaronder een subtiel welvend minibuikje.

'Bedankt voor het liegen. Jij ziet er ook goed uit. Ik hou wel van wat houvast. En je hebt precies genoeg borsthaar.'

We deden de hotelbadjassen en de badstoffen kamerslippers aan en sloegen een handdoek om onze nek.

In het zwembad dobberden drie andere hotelgasten. Faye en ik trokken een baantje en gingen op een tree liggen van de stenen trap die in de hoek het water in liep.

Ik manoeuvreerde Faye zo dat ze boven op mij dreef, en zoende haar op haar mond. Ze zoende mij terug, keek mij wellustig aan. Ik kreeg een stijve en duwde onder het tongen mijn paal ritmisch tegen haar broekje aan. Faye kreunde zacht in mijn oor.

'Eh, doen vrienden dit?' klonk het plagend.

'Intieme vrienden wel,' zei ik, en ging door.

Faye was schrijlings op mij gaan zitten. Ik voelde de geribbelde trap onder mijn rug, het was niet heel comfortabel.

'Laten we naar boven gaan,' zei ik, scheef grijnzend. 'Om wat te lezen, bedoel ik. Of tv te kijken.'

'Ik begrijp het. Is goed,' zei Faye hees en ze stond gelijk op, en liep het water uit.

'Ik zie je zo,' zei ik, naar mijn zwemshort kijkend.

Faye keurde vanaf de rand mijn stijve. Ze grinnikte: 'Ik ga douchen. Zie je zo.'

Op de kamer haalde ik de plastic zak uit de minibar. Daar zat een fles Bollinger rosé champagne in, die ik speciaal voor dit moment had gekocht. Ik had ook twee flûtes meegenomen, beide in een boxershort van mij gerold.

Ik liet de kurk beheerst loskomen en schonk na een zachte plop de flûtes vol. We toostten met elkaar, en wisselden slokjes af met passionele tongzoenen.

Toen zetten we de nog halfvolle glazen neer, lieten onze badjassen van ons afglijden en vonden elkaar, opgewonden, gretig en vol verlangen, op het kingsize bed.

25

Rozig nog liepen we aan het begin van de avond het volle restaurant binnen. Het diner was oké, de wijn doorsnee en de ambiance ietwat oubollig, maar Faye en ik vermaakten ons als twee achtjarigen op zomerkamp in Duinrell. Na het dessert dronken we, inmiddels hand in hand naast elkaar zittend, een glas rode port. Daarna liepen we naar de lobby, waar de dj nog relaxte loungemuziek draaide.

Even na tienen barstte de disco los. 'Relight My Fire' van Dan Hartman, 'I Will Survive' van Gloria Gaynor, 'Fantasy' van Earth, Wind & Fire en nog meer hits uit onze tijd. Ik vroeg 'Night Fever' van de Bee Gees aan. Toen dat gedraaid werd, deed ik mijn door de jaren heen geperfectioneerde Travoltaloopje. Faye lag in een deuk.

We dansten nummer na nummer mee op de dansvloer, waar iedereen lachte.

Kort voor twaalven trok Faye mij ineens aan mijn hand mee naar de zithoek achter in de lobby. Daar ging ze op mijn schoot zitten. Ze glunderde.

'Ik heb mij lang niet zó fantastisch gevoeld!' zei ze. 'Dat doe jij met me, Tycho.'

'Dit doe jij met mij,' fluisterde ik in haar oor en legde haar hand in mijn kruis.

Maar Faye trok haar hand weg, pakte mij bij mijn kin vast als een moeder die haar kind wil bestraffen, en zei: 'Ik ben verliefd op je, Tycho. Heel erg.'

Ze omhelsde mij innig. 'Ik ben zó verliefd op je.'

Ik keek haar in de ogen en zoende haar intens.

En toen was het tien seconden voor twaalf. Faye trok me de dansvloer op. Vijf... vier... drie... twee... een!

Klokslag twaalf werd Antwerpen verlicht door een megalomaan vuurwerk.

'Jarig!' jubelde Faye. Ze vloog mij om de hals.

Ik perste haar tegen me aan. 'Gefeliciteerd, mooi meisje van me.'

II

26

Dat Faye ongelooflijk gek op mij was en me dat ook heel vaak liet weten, maakte me vreemd genoeg niet ongelukkig. Ik vond het heerlijk wanneer ik na een werkdag naar Amstelveen reed om mijn auto achter de Mini te parkeren en samen met Faye een glas chardonnay te drinken op haar bank.

Dat ik praktisch elke nacht bleef slapen, had bij Luuk geen weerstand opgeleverd. Integendeel. Zodra ik tegen etenstijd kwam aanrijden, zat hij op het aanrecht voor het raam al naar mij uit te kijken. Ik seinde met mijn lichten en hij haastte zich naar beneden om open te doen.

Aan tafel wilde Luuk per se naast mij zitten. Ik moest verhalen vertellen over wat ik had meegemaakt met mensen die hij kende van de televisie. Dat ik van veel bekendheden gewoon hun mobiele nummer had, boeide hem mateloos.

'Ook van Will Smith?' vroeg hij gretig.

'Dat heb ik vast nog wel ergens,' zei ik.

'Luuk is dol op je,' zei Faye op een avond. Ik zag hoe happy ze daarmee was. 'Als hij uit school komt, is het eerste wat hij vraagt hoe laat jij er bent.'

Ik gaf, weifelend, toe dat ik het ook 'best leuk' vond.

'Best leuk?' Ze keek mij met haar hoofd schuin aan.

'Oké. Best heel leuk,' antwoordde ik. 'Zo, tevreden?'

Ik vond het nog het meest 'heel leuk' als ik Luuk dingen kon uitleggen. Mannendingen. Hoe je met vrouwen moest omgaan; het meisje uit zijn klas dat hij het mooiste vond op het schoolplein een kapotte knie laten struikelen, was niet de slimste methode, vertelde ik. Dat je tijdens het douchen je voorhuid goed naar achteren moet trekken, en je piemel altijd fris en schoon moest houden.

'Krijg ik later ook zo'n grote?' vroeg Luuk een keer, nadat hij onverwachts de badkamer in was gelopen waar ik mij stond af te drogen.

'Alleen als je elke avond je bord leegeet!'

'Ook spinazie?' vroeg hij.

'Vooral spinazie!' zei ik.

'Dan moet ik er nog even nadenken of ik wel een grote wil,' zei hij. 'Maar hoe weet een piemel eigenlijk of je wel spinazie eet?'

Luuk was kennelijk de uitzondering dat er ook wél leuke kinderen rondliepen.

Zo'n twee maanden na onze eerste date besloot ik Jens, de vader van Luuk, op te zoeken in een van zijn grand cafés, die hij deels aan het verbouwen was.

'We zijn nog dicht!' riep hij vanaf een ladder, toen ik zoekend binnenliep.

'Ik ben Tycho. Van Faye,' riep ik terug.

'O, oké. Hoi!' zei hij, en daalde af. Hij gaf mij een bestofte hand. 'Jens. Cool dat je langskomt,' zei hij terwijl hij het zweet van zijn voorhoofd veegde. 'Ik heb veel over je gehoord.'

Jens leek mij een mannetjesputter. Brede schouders, een strak geboetseerde borstkas; ik zag wel van wie Luuk zijn V-vormige lijf had. Een kale kop, grijs weekendbaardje, G-Star Raw-jeans met een zwart T-shirt, Rolex Submariner op links, leren en zilveren armbanden op rechts. Een forse tattoo, het leek een esculaap, half onder zijn mouw.

Jens maakte twee espresso's. Ik ging aan de bar zitten, hij bleef erachter staan.

'Luuk is positief over je. Ben ik blij mee. Ik ken jou verder niet, maar als jij goed voor mijn zoon bent, en natuurlijk voor Faye, dan ben je mijn vriend. Die jongen is gek op je. *Don't mess up.*'

'Ik doe mijn best,' zei ik, en probeerde de lichte dwang die ik in Jens' stem hoorde te negeren.

'Je begrijpt me wel, toch? Kijk, die jongen is mijn alles. Het is een gevoelige knul. Die scheiding is hem niet in de kouwe kleren gaan zitten. Dat doet wat met zo'n jongen. Kan jij natuurlijk niks aan doen, dat was tussen mij en Faye, maar ik vind wel dat het goed is te beseffen dat zo'n jongen niet wéér afscheid wil nemen van een situatie waar hij aan gewend is geraakt. Snap je?'

Ik knikte en glimlachte, maar mijn handen werden klam. 'Tuurlijk, begrijp ik,' zei ik, en sloeg de espresso achterover. 'Mag ik er nog zo eentje? Goeie koffie.'

Jens draaide zich om en pakte een schoon kopje en schoteltje.

Terwijl hij de espresso maakte, dacht ik aan Luuk. Ik vond dat hij alleszins meeviel voor een kind, maar hij was niet van mij. En dat zou hij ook nooit worden. Maar Jens had wel gelijk: hij zou zich aan me gaan hechten. Hij zou me als tweede vader gaan zien. Ik zou zijn hart breken als ik Faye ooit zou verlaten. Ik kon dus nooit meer weg.

27

Ik liet de muziek dit keer uit toen ik door mijn appartement liep. Stom dat ik net vergeten was te kijken wat het merk was van die espressomaker in Jens' café.

Ik keek naar mijn eigen koffiemaker op het aanrecht. Het leek lang geleden dat ik hier elke ochtend een kopje vulde en de ochtendkranten doorliep op interessant nieuws waar ik iets mee kon. Soms kon zelfs een faillissementsaankondiging waar je normaal al snel overheen las een onthulling bevatten, zoals die ene keer met die klassieke pianist die zijn complete vermogen in een vastgoedluchtbel had gestopt, en toen zelfs zijn onbetaalbare Bösendorfer moest laten veilen om aan zijn schuldeisers te voldoen – zijn autodealer had zijn Maserati al weggesleept van de villaoprit in Vught.

Ik ging languit op de bank liggen.

Ik had niets te klagen hier en hield van dit bijna expat-achtige leven tussen spullen die niet van mij waren. Er waren maar weinig mensen in mijn omgeving die er zo goed bij zaten als ik. Oké, ik lag bijna nooit meer in mijn minizwembad, dat was waar, maar het idee dat het kon, maakte me gelukkig.

Lilian was die ochtend geweest. Alles zag er weer pico bello uit. Ze had mij gevraagd of ze nog wel twee keer per week moest komen. 'Ik zit mijn eigen schoonmaakwerk schoon te maken, zo langzamerhand,' had ze gezegd. Maar het was 'verders geen probleem, an sich', had ze er achteraan gezegd.

Het sloeg ook nergens op, twee keer per week. Ik hing elk moment dat ik niet werkte bij Faye op de luie driezitsbank, waar ik weleens morste op de kussens, maar dat maakte niet uit. 'Als je deze bank uitschudt, kun je je eigen Jamin beginnen,' had Faye gezegd. Het was de moeite niet 'm netjes te houden, met een zoon van zes, zei ze.

Mijn sms-toon klonk. Ik had 'snaterende eend' ingesteld voor Faye. Gelukkig kon ze dat zelf nooit horen. Het was ook niet lullig bedoeld. Integendeel: het was het hardste uit de beschikbare geluiden, en zo miste ik niet snel een sms van haar.

Hai liefje. Ik hoor dat je bij Jens geweest bent?? Hij was erg verrast sms't ie net. Goeie actie! Hij vond je een 'prima gast'. Dat wist ik al natuurlijk ☺. Ik ben trots op je! Omgekeerd was hij nooit naar jou toe gekomen. Hij wilde Luuk wel hebben vanavond. Goed? Kunnen wij samen iets gaan doen... ☺

Ik las de sms nog een keer en legde de iPhone neer. Toen liep ik naar de slaapkamer en ging mijn walk-in closet in. Ik wilde eigenlijk vanavond een nieuwe loungebar in de stad checken. Daar schenen vaak soapsterren rond te hangen. Misschien was er handel.

Dat ik vaak in Amstelveen bij Faye en Luuk was, zag ik aan mijn bankrekening; ik werd nog altijd per pagina betaald, maar liet nog weleens wat schieten als ik daar op de driezitsbank zat.

Ik moest natuurlijk ook weer niet té huiselijk worden. Ik opereerde vanuit het elitekorps van ons weekblad. Zelfs mijn eigen freelancecollega's waren uiteindelijk concurrenten. We snoepten niet alleen andere bladen verhalen af, maar als het nodig was ook elkaar. Het was een jungle en ik moest wel koning aap blijven.

Mijn verstand zei dat ik vanavond aan de slag moest. Mijn gevoel wees naar Faye. Ik riep mijzelf tot de orde. Faye kon wel een avond wachten. De primeurs niet. Ik zou het dubbel en dwars goedmaken met het geld dat ik vanavond zou verdienen.

28

De zaterdag daarna besloot ik wat tijd te investeren in Luuk. Ik vroeg een collega de feestelijke museumopening door een lid van de koninklijke familie van mij over te nemen en zei tegen Faye dat ze overdag met een vriendin kon afspreken: Luuk en ik hadden mannendag.

'Wat is mannendag?' had Luuk gevraagd.

'Dat is: alleen dingen doen die wij leuk vinden, indien nodig een boer en een wind laten zonder sorry te hoeven zeggen, de wc-bril mag omhoog blijven staan na het plassen, en ongezond snackbarvoer als pizza of patat eten,' somde ik op.

Luuk trok een lachgrimas en gaf me een high five.

'En jij mag kiezen waar we heen gaan,' zei ik.

'Skaten in Everland! En pannenkoeken eten op de speelboerderij in het bos!'

Het overdekte skatepark was gesitueerd in een voormalige scheepswerf op een slordig industrieterrein in Noord, een plek waar je elk moment een afrekening in het criminele milieu verwachtte.

Luuk wilde graag leren skaten. 'Net als papa vroeger.' In de garage had hij een oud skateboard van hem gevonden.

Het was druk en lawaaiig op de baan. Luuk keek zijn ogen uit naar alle skaters die zich blijkbaar zonder enige vrees van hoge *half pipes* de diepte in stortten.

De eerste paar keer viel Luuk van zijn plank, maar hij gaf niet op. Na een halfuur durfde hij zelfs van een verhoging af te rijden.

'Wil je een filmpje op je iPhone maken? Voor papa?' riep hij.

'Ja hoor,' riep ik, en met lichte tegenzin filmde ik Luuk voor zijn vader.

Na een uur vond ik het wel mooi geweest. Ik knoopte Luuks jas weer stevig dicht, het was stervenskoud buiten, ook al was het al bijna maart.

Toen ik de achterklep van de Alfa opende, wilde Luuk zijn skateboard er zelf in leggen.

'Kijk je wel uit voor de lak? Zo'n plank is een soort schuurpapier,' zei ik, terwijl ik oplette of Luuk zijn board voorzichtig genoeg in de achterbak tilde.

Met chirurgische voorzichtigheid legde hij de plank neer. 'Deed ik het zo goed, Tycho?'

'Je deed het fantastisch,' zei ik, en gaf hem een aai over zijn bol.

De volgende halte was Meerzicht in het Amsterdamse Bos, bij de Bosbaan. Een boerderijachtig gebouw met rode dakpannen en groen-wit-rode luiken, er liep een pauw rond en er was een speeltuin, waar ik vroeger met mijn vader al heen ging.

We gingen eerst pannenkoeken eten. Ik met spek, Luuk naturel met stroop.

'En,' zei ik, 'wat vind je van onze mannendag, Luuk?'

'Leuk,' zei Luuk en hij keek naar buiten. 'Ze hebben glijbanen en schommels.'

'Als je je pannenkoek op hebt, mag je buiten gaan spelen,' zei ik. Dan kon ik mooi mijn meegebrachte krantjes even doornemen.

Er waaide een schrale wind over het speelterrein en ik kon aan Luuk zien dat hij het koud had, toen hij van de glijbaan gleed. Er waren geen andere kinderen.

Ik bladerde wat door de *NRC*, en keek af en toe naar buiten.

Luuk stond ineens naast mij. Hij had koude handen. Ik zei aarzelend dat ik misschien handschoenen in de auto had liggen. Ik was erg gesteld op die zwarte handschoenen van Trussardi. Ze kostten tweehonderdveertig euro, en waren van boterzacht leer. Ik kocht elk jaar een nieuw paar omdat ik het lelijk vond als ze craquelé werden.

'Oké, ik ga ze wel even voor je halen,' besloot ik. 'Blijf maar even hier.'

Ze waren hem veel te groot, maar de kasjmieren voering zou zijn handen wel warm houden. Luuk holde terug naar de speeltuin.

Toen ik het eerste katern dichtsloeg, opvouwde en naar buiten keek, zag ik dat Luuk grind op de glijbaan aan het gooien was.

Verdomme! Niet met mijn handschoenen!

Ik tikte hard tegen het raam. Luuk keek om. Ik zwaaide driftig 'nee' met mijn vinger. Hij wees met een vragende blik naar het grind.

Ik liep geagiteerd naar buiten. 'Wat doe je nou? Je gaat toch niet met die handschoenen grind graven, Luuk! Zo gaan ze toch kapot? Laat eens kijken.'

Mijn handschoenen waren volledig stuk geraspt.

Luuk keek sip naar beneden.

'Geeft niet. Mijn fout. Ik had het moeten zeggen,' zei ik.

Die avond beklom ik tegen negen uur de hoogslaper van Luuk. Sinds kort las ik hem voor uit *Kruimeltje*. Hij had het zelf gevraagd. 'Papa wil niet voorlezen als ik bij hem ben. Hij vindt dat kinderachtig,' zei Luuk.

'Wat flauw van hem,' zei ik.

'Papa is niet flauw!' riep hij.

Dus zat ik boven aan het houten trappetje aan het voeteneind. Luuk lag in zijn pyjama onder zijn dekbed en keek mij verwachtingsvol aan.

'Oké, help me even: waar waren we gebleven?'

'Dat Kruimeltje met Moor naar de markt ging.'

Ik gaf elk personage in *Kruimeltje* een eigen stem en intonatie. Vriend Keesie, vrouw Koster, zelfs hond Moor kreeg een stem, ook al zei die laatste niets in het boek; ik verzon het er gewoon al blaffend bij. De ene stem deed ik geaffecteerd, de andere in zangerig Rotterdams, ik had een lijzige Limburger in mijn repertoire, en een aangezet Indisch accent.

'Nou enne toen benne we 'm gesmeerd... 'n heel eind uit de buurt, hoor... En toen kwamme we op de groentemart... en daar hebbe we appele gegete... maar Moor lustte ze niet...' droeg ik een passage voor met een vette Jordanese tongval.

Luuk lag te hikken van het lachen. 'Wel alle stemmen doen, hè Tycho!' gierde hij.

Faye kwam na tien minuten boven. Ze luisterde grijnzend een stukje mee, leunend tegen de deurpost.

'Oké, Luuk, je moet nu echt gaan slapen,' zei ze.

'Nee! Het is net zo leuk! Ah, mam?'

'We gaan morgen verder,' zei ik, sloeg *Kruimeltje* dicht en gaf Luuk een kus.

'Dus, ik moet de eerstvolgende keer in Milaan nieuwe handschoenen kopen,' zei ik tegen Faye toen we een uurtje later half ontkleed tegen elkaar aan lagen op de bank.

'Wat vervelend voor je,' antwoordde ze, en stak haar tong in mijn navel.

'Zullen we gaan samenwonen?' vroeg ik.

'Ja, dat is goed. Maar we hebben géén relatie. Ik herhaal: géén relatie,' zei ze.

'Geen relatie,' zei ik, en hees Faye boven op me.

29

Zenna lag lui op mijn Minotti, één been over de armleuning. Ze nam slokjes van de cappuccino die ik voor haar gemaakt had. Haar hoofd lag achterover, in de prille lentezon die door de hoge ramen naar binnen scheen. Ze had haar ogen dicht en kreunde: 'Genieten dit.'

'Niet morsen op de bank. Kijk effe uit met die koffie,' waarschuwde ik.

Ik was bezig met een coverstory over een parlementaire tv-journalist wiens vrouw lesbisch geworden was en die ook nog een liefdesaffaire was begonnen met de eveneens getrouwde buurvrouw. 'Ik heb de hele cover ervoor gereserveerd,' had Gregor gnuivend geroepen. 'Vier pagina's. Tackel die buurvrouw ook even. Regel je een foto?'

'Spontaan pot. Dan moet hij wel heel slecht zijn in bed,' meende Zenna, die ik het net, onder zwaar embargo, verteld had. Ik stond op het punt om naar de plaats delict te vertrekken, toen ze had aangebeld in de Kerkstraat. Ik had het niet zo op onaangekondigd bezoek, en al helemaal niet als ik druk was.

Maar Zenna had door de intercom beloofd dat ze 'één kop koffie' bleef, die ik dan natuurlijk wel moest maken. Ze had geluncht in de stad en ik zat 'zo dichtbij'.

'Hoe is het met die Faye eigenlijk?' vroeg ze op een toon die nam ik aan voor nonchalant moest doorgaan.

'Die Faye? Het gaat supergoed,' zei ik. 'We gaan samenwonen.'

Zenna verslikte zich bijna. Haar cappuccino golfde in het kopje.

'Niet morsen!' riep ik.

'Nee-hee! Ik mors niet! Maar mag ik even schrikken? Samenwonen? Jij? Waar komt dat nou weer vandaan? Jij wilde nooit samenwonen! Ze heeft toch een kind? Jij haat kinderen!'

Ze zette de cappuccino toch maar op de glazen bijzettafel, en trok een gezicht. 'Ik weet niet wat ik hoor. Werkelijk.'

'Doe eens niet zo overdreven, Zen!' zei ik, spottend lachend om haar heftige reactie.

Zenna trok haar been terug. Die zwarte leren broek stond haar erg lekker.

'Kom. Je moet toch toegeven dat dit even een héél andere Tycho Ittervoort is dan die ik al mijn leven lang ken. Kortgeleden zat je hier te likkebaarden over al die pitspoezen die je alle hoeken van de kamer laat zien, en nu ga je inééns, *out of the blue*, samenwonen met een gescheiden vrouw, van je eigen leeftijd nota bene, met óók nog eens een kind van een ander. Jij hebt niet eens wat met kinderen. En dan druk ik mij nog mild uit.'

'Oké, ik geef toe dat ik ze oervervelend vind. Vond. Maar bij Luuk voelt het anders.'

Zenna barstte in lachen uit. 'Je moest jezelf eens horen. Hoelang ken je dat joch nu helemaal?'

'Joch?'

'Oké, oké, stil maar. *Knock knock*, waar is mijn oude vertrouwde Tychootje gebleven? Mag ik die terug, alsjeblieft?'

'Ben je jaloers?' vroeg ik.

'Waarop? Op dat huisje-boompje-beestje van je? Nee, gek. Ik zou niet met je willen ruilen, hoor. Amstelveen ook nog... laat me niet lachen.'

'Je klinkt een beetje afgunstig anders.'

'Hou toch op, Tych. Je praat alsof je ineens het licht hebt gezien, maar ik ken je langer dan vandaag. Over een paar maanden is de spanning eraf en weet je niet hoe snel je weer je pik in een of andere geile blonde wegwerpchick moet steken.'

'O ja?'

'Ja. Je houdt die Faye aan het lijntje.'

'Och, och, hoor mevrouw de amateurpsychologe.'

'Ja, maar even serieus: dit slaat toch nergens op? Dit hoort toch niet bij jou?'

'Ben je soms verliefd op me?

'Haha, ja natúúrlijk, schat. *Dream on, babe.*'

'Anders moet je het zeggen, hoor.'

'Hoezo zou ik verlíéfd op je zijn? Ben je verliefd op míj misschien?'

'Haha!'

'Eikel.'

'Ik ben níét verliefd op je, Zenna. Ik word niet geil van je. In de verste verte niet.'

Dat laatste was niet helemáál waar, maar ik was wel even klaar met haar en wilde aan het werk.

'Goed zo. Dat is dan maar duidelijk.' Zenna dronk haar koffie op, wenste mij veel succes met samenwonen en vertrok.

30

Op de dag dat ik bij Faye en Luuk introk, kocht ik in winkelcentrum Lindenhof het boek *Jongens, hoe voed je ze op?* Het was geschreven door 'de internationaal vermaarde gezinstherapeut' Steve Biddulph, een Australiër.

Ik voorzag dat zonen dáár opgevoed werden met adviezen om nooit pythons te aaien en geen Aboriginals te jennen (of andersom), maar wie weet haalde ik er iets nuttigs uit.

Er stond in dat jongens in hun jeugd drie aaneensluitende fases doormaakten. Tot zes jaar waren ze gericht op de liefde en veiligheid van hun moeder, van zes tot veertien identificeerden ze zich met hun vader, en vanaf hun veertiende hadden ze vooral behoefte aan andere mannelijke mentoren.

Dat betekende, volgens Steve, dat ik pas over acht jaar een rol van enige betekenis in het leven van Luuk zou gaan spelen.

Liefdewerk oud papier.

Mijn appartement in de Kerkstraat hield ik aan als kantoor. Als een forens reed ik elke ochtend naar de stad, om, vanuit mijn eigen huis, de showbizz door te lichten. Een dure dependance, maar die was het meer dan waard.

Faye werkte namelijk veel vanuit huis, en hield er een nogal rigide huishoudelijk regime op na. Ik kwam er al snel achter dat haar lievelingsgeluid dat van een op volle toeren draaiende wasmachine was. Ze liep af en aan met volle manden. Trap op, trap af. Garage in, garage uit.

'Zeg Suzy Zanussi, kan die Poolse werkster van je dat niet doen? Hoe heet ze, Valetski? Ik zie je de godganse dag die wasstraat daar beneden in lopen. Dat hoef jij toch niet zelf te doen?' vroeg ik een keer.

'Valesca. Nee, niemand komt aan mijn was!' zei Faye. 'Valesca is een kei met de stofzuiger, maar ze weet amper het verschil tussen wit, bont en donker. Ik heb het haar één keer laten doen en toen had ze werkelijk alles op negentig graden gewassen. Ik kon het zo naar Madurodam sturen.'

De Poolse kwam één keer per week. Ze was een lieverd, maar

kletste de oren van je hoofd als je per ongeluk een gesprek met haar aanging. 'Probeer elk direct oogcontact te vermijden,' adviseerde Faye.

Valesca, geen onknappe verschijning trouwens, kreeg altijd wat spuug in haar mondhoeken als ze ergens enthousiast over sprak. Haar eveneens Poolse man was 'sjielder' (schilder) en werkte vooral voor bekende Polen. 'Aikenlik zieten wai ook in die sjoobis,' vond ze, verwijzend naar mijn beroep.

Ze moest daar zelf hartelijk om lachen, en ik ook.

Dus deed Faye de was. Als tegenprestatie ruimde ik de vaatwasser leeg. Soms.

31

Woensdag 11:03 uur

Sorry Zen, voor mijn uitval laatst. Het spijt me en ik wil je niet kwijt.
Doen we snel een glas?

Woensdag 13:00 uur

Dat weet ik toch schat! Ik ken je veel te goed ☺ Ik gun je alle geluk van
de wereld. Moet soms alleen wennen aan de nieuwe Tycho. Hou van je!
Kiss Zen

32

Een formatie oranje-zwarte vlinders maakte sierlijke wendingen boven de struik waartegen Faye aan het praten was. Ik stond naast haar, ze hield mijn hand vast.

'Mam, dit is hem nou, Tycho. Ik had je over hem verteld.'

Ik boog mij voorover. 'Dag mevrouw Clark,' zei ik plechtig. 'Of mag ik je moeder bij haar voornaam noemen?' vroeg ik Faye.

'De eerste keer zeker niet,' zei ze.

We stonden in een door hoge hagen afgeschermd deel van het stadspark in Zuid, waar volgens een informatiebord vlinders van het type admiraalvlinder (doopnamen Vanessa atalanta) hun habitat hadden. Het was een vredige plek, met weelderige bosschages op buikhoogte en een bankje in de zon, dat wel een keer opnieuw geschuurd en gebeitst mocht worden.

Faye's moeder Gail was anderhalf jaar eerder overleden. Longkanker. Omringd door haar drie kinderen en haar tweede man was ze na een korte strijd de dood in gegleden – uitgemergeld en moe gestreden van alle chemo en bestralingen.

Faye had mij verteld over het afscheid van haar moeder. 'Op het moment dat ze haar laatste adem uitblies, hoorden we op de achtergrond zacht op de radio "I Say A Little Prayer" van Aretha Franklin. Het paste zo mooi bij het moment. Op Sky Radio ook nog.'

Het ergst vond ze dat haar moeder als elegante, mondaine vrouw in een paar maanden verschrikkelijk was afgetakeld. 'Het was Auschwitz, met een Audrey Hepburnpruikje.'

Toen ik haar vroeg wat ze het meest miste van haar moeder, zei Faye: 'Haar aardappelsoep.'

Ik schoot in de lach, maar dat vond ze niet erg.

'Als ik bij mama at, maakte ze aardappelsoep, we waren de enige twee binnen ons gezin die het lekker vonden. Het is een ouderwetse Amerikaanse maaltijdsoep van aardappels, gerookte ham, uien en melk. Stevige kost, maar echt verrukkelijk. Ik zal het een keer maken. Boven de soep hadden we moeder-dochtergesprekken. Ze wist alles van me, ik vroeg haar vaak om raad. Die soepsessies aan haar keukentafel waren mij meer waard dan welk Michelindiner ook.'

Omdat haar moeder vaak in het stadspark had gewandeld met haar twee teckels, had Faye daar een plekje gezocht waar ze, weliswaar illegaal, verstrooid kon worden. De vlindertuin was perfect.

Faye wees naar de boom, die boven Gails struik uitrees. 'Zie je dat die in drie stronken verder is gegroeid? Ze wijzen exact naar het westen, naar Amerika, waar mijn vader en broer wonen, naar het zuiden, waar ik woon, en naar het zuidoosten in de richting van mijn zus, in Italië. Dit was gewoon de plek. We hebben mama hier op een zonnige namiddag uitgestrooid, met een fles champagne erbij. Ik kom hier vaak, soms met Luuk. Hoewel mijn moeder niet zo'n echte 'oma'-oma was, die de hele dag met haar kleinkinderen bezig was, was ze dol op hem. En hij op haar.'

Ik stond achter Faye en sloeg mijn armen om haar heen, en kuste haar op haar wang.

33

Op het reisbureau in het winkelcentrum had de adviseuse een stapel gidsen voor zich uitgespreid. Ik had haar gezegd op zoek te zijn naar een lastminutereis, we wilden deze maand nog weg, naar een resort met zó veel vertier voor kinderen dat ze de hele dag werden beziggehouden, zodat wij konden relaxen.

'Jíj zoekt dat,' corrigeerde Faye. 'Ik vind het namelijk wél leuk om op vakantie iets met mijn kind te ondernemen.'

De lachende reisadviseuse wist meteen wat we zochten. 'Menorca!' riep ze uit.

Dit volgens haar 'rustige zusje' van de Spaanse preteilanden Mallorca en Ibiza was hét familie-eiland.

Ze noemde de voordelen op, tellend op haar vingers. 'Eén: Menorca is maar twee uurtjes vliegen. Twee: de zandstranden lopen geleidelijk af. Drie: alléén mensen met kinderen. Vier: de restaurants hebben kindermenu's. Dus geen eng Spaans eten voor de kleintjes, maar pizza en kip met appelmoes. Hoe fijn is dat?'

'Waar wachten we nog op?' zei ik.

Faye negeerde mijn cynisme en vroeg de vrouw: 'Weet u daar iets leuks?'

De adviseuse zei vanachter haar hand, alsof ze een geheim met ons ging delen: 'Ik ben er zélf geweest en onze kinderen willen nergens anders meer heen!'

Ze pakte er een gids bij, likte aan haar wijsvinger, mompelde 'Son Bou... Son Bou...' en sloeg een pagina op. Ze keerde de gids om en tikte met haar vinger op de bladzij. 'Hier: Royal Son Bou Family Club!' Ze las voor wat er in de omschrijving stond, en wees ons speciaal op het zogeheten Kikoland. Dat was volgens de adviseuse één groot kinderparadijs in een afgeschermd deel van het resort, waar de hele dag door aan sport, spel en theater gedaan werd.

Ik trok mijn creditcard en boekte een week. Dat leek mij wel genoeg.

Terwijl we, veertien dagen later, met onze drie koffers op een bagagekar naar de incheckbalie liepen, hield Luuk onverwachts stil. Hij keek bedremmeld.

'Mam! We zijn Zoef vergeten!' riep hij.

'O, nee!' zei Faye. 'Hoe kan dat nou? Heb je hem niet in je trolley gestopt? Ik had Zoef toch klaargelegd?'

'Ik ben hem per ongeluk vergeten,' zei Luuk, met een trillende lip.

'Joh, je kunt toch wel een week zonder dat beest?' zei ik.

Uit zijn gekrijs begreep ik van niet. Mensen keken verontwaardigd om. Luuk was ontroostbaar.

'Ja, ja, rustig maar,' suste ik, 'het komt goed. We kopen zo wel een nieuwe knuffel. Achter de douane zit een speelgoedwinkel.'

Dat werkte. 'Mag ik een Bionicle?' vroeg Luuk, terwijl zijn ogen oplichtten.

'*Don't push your luck*, vriend. We gaan een goede vervanger voor Zoef zoeken. Reken maar dat die het leuk heeft, nu hij het hele huis voor zichzelf heeft. Misschien gaat hij wel tot diep in de nacht tv-kijken,' zei ik, en gaf Luuk een por.

Er brak een lach op zijn gezicht door. 'Misschien eet hij al het snoep wel op,' fantaseerde hij glunderend mee.

Na het inchecken en de paspoortformaliteiten plukte ik in de speelgoedwinkel vlug een pluchen leeuwtje uit het schap, dat tussen allerlei verleidelijke maar asociaal dure dinosaurussen en robots lag.

'Luuk, deze is leuk,' riep ik, overdreven enthousiast, terwijl ik het leeuwtje eigenwijs op zijn rug met zijn pootjes achter zijn hoofd op de toonbank legde. 'Hé Luukie,' acteerde ik met een clown Bassieachtige stem. 'Ik ben Leeuwtje. Mag ik met je mee naar Menorca? Gaan we achter de vrouwen aan en pizza's met gebakken snoep bestellen!'

'Die is stom,' zei Luuk, terwijl hij op zijn tenen ging staan en een enorme beer uit het schap trok. 'Deze wil ik,' zei hij beslist.

'Luuk, die beer is veel te groot. Die past niet in de handbagage.'

Weer begon Luuk te krijsen. 'Ik wil alleen maar deze! Anders wil ik niks!'

'Prima,' zei ik resoluut, 'dan krijg je niks.' Ik legde het leeuwtje terug, trok de beer uit zijn handen, zette die op de grond en liep met grote passen de winkel uit.

Luuk bleef achter en begon te huilen. Hartverscheurend hard te huilen. Zonder me om te hoeven draaien hoorde ik dat hij echt verdrietig was. Don't mess up, die jongen is gek op je, galmden de worden van Jens door mijn hoofd.

Ik draaide me om en liep terug de winkel in.

'Goed,' zei ik tegen Luuk en knielde naast hem neer. 'Luister. Ik koop die beer voor je, maar dan wil ik dat je daarna stopt met huilen, en net als mama en ik gaat genieten van de vakantie, goed? Zullen we ons best doen er de allerleukste vakantie aller tijden van te maken?'

Luuk veegde zijn tranen weg en knikte lachend. Het deed me goed dat ik hem had kunnen troosten, al was ik er niet trots op dat hij alsnog zijn zin had gekregen.

In de Boeing 737 van Transavia, waar minimaal tienduizend kinderen in zaten, was Luuk tegen de afspraak die we van man tot man hadden gemaakt in, vreselijk irritant. Juist toen we een warme hap geserveerd kregen en de gummiachtige kip met aardappelen, snijbonen en jus voor ons uitgestald op de uitklaptafeltjes stonden, plofte Luuks open etui met stiften op de grond. De inhoud lag verspreid onder een aantal rijen vliegtuigstoelen.

Luuk dook onder zijn klaptafeltje en stootte met zijn achterhoofd tegen de onderkant, waarna alles wat erop stond op onze schoot dreigde te schuiven.

Faye kon ternauwernood ingrijpen, al viel er wel een spat jus op haar handtas.

'Godsamme, Luuk. Denk toch eens na!' zei ze, terwijl ze over de tas wreef en de vlek groter maakte.

Niet veel later, uiteraard exact op het moment dat er een trolleywagen in het gangpad stond om de etensresten te verzamelen, moest Luuk plassen.

'Dat kan nu niet. Je moet even wachten,' zei ik.

'Maar ik moet plassen! Mam?'

'Nee, niks mam! Ik praat tegen je. Je kunt er niet langs.'

'Maar ik moet plassen.'

'Luuk, zeur niet zo,' zei Faye. 'Een paar minuutjes nog.'

'Maar ik moet echt plassen.'

'Lucas Jelgers! Ophouden! Nu!' riep Faye.

'Waarom mag ik nooit iets! Bij papa mag ik alles!' jengelde Luuk.

Ik greep hem venijnig bij zijn arm. 'Je vader is hier niet. Wij wel, en je doet gewóón wat wij zeggen! Begrepen, etter?'

Faye trok mijn hand van Luuk af. 'Je hoeft mijn zoon niet fysiek aan te pakken en je hoeft hem al helemaal geen etter te noemen, oké?'

'O, fijn, ga jij mij nou ook nog afvallen waar hij bij zit? Weet je: zoek het lekker uit! Lik me reet allebei!'

Faye draaide zich demonstratief van mij af naar Luuk, die vroeg wat een reet was.

'Wij gaan samen even wat leuks doen tot deze stewardessen klaar zijn. Dan kun je naar de wc. Wat wilde je gaan tekenen, lieverd?'

Oké: moeder en zoon één front.

Prima. Ik negeerde de twee en sloeg het beduimelde *inflight magazine* uit de stoelzak open. Daarin las ik alles over de favoriete vakantiebestemmingen van een actrice, een zangeres en een weerman. Menorca zat daar niet bij.

34

Royal Son Bou was een goed verzorgd resort. Het had een enorm zwembad met een houten brug erboven waarop ligbedden en parasols stonden. Ons appartement bevond zich op de parterre, met een terras ervoor, en had deels uitzicht op zee.

Bij onze buren stond het terras vol met luchtbedden en er hingen handdoeken. Op de grond lagen snorkels en opgeblazen vlinderbandjes. Uit de opengeschoven ramen klonk kindergeluid.

Het appartement had de beloofde aparte slaapkamer met een tweepersoonsbed, voor Luuk een bankbed in de huiskamer, er was een minikeuken en alles was blauw en geel geschilderd. Het zag er kneuterig maar best gezellig uit eigenlijk.

Toen Luuk alles uit zijn trolley op zijn bed had uitgestald, zei hij: 'Ik ga kijken waar de games zijn.'

'Prima, jongen. Neem je tijd. Als je maar voor het ontbijt terug bent,' riep ik.

'Echt?' riep Luuk.

Faye keek mij met een vernietigende blik aan. 'Zullen we proberen er een leuke week van te maken, liefje?' zei ze.

'Oké,' zei ik. 'Ik geef me over. Zullen we zo maar een kinderpizza gaan eten?'

We plukten een kwartier later Luuk achter het biljart vandaan, waar hij mot had met een dikkig Engels meisje met X-benen dat hij dreigde te slaan met een keu.

Dat begon lekker.

In het restaurant zaten minimaal twee miljoen kinderen. Veel ouders hadden een babyfoon voor zich op tafel staan. Ze keken gespannen.

Luuk wilde alleen patat met ketchup. We waren te moe om over groente te beginnen. Hij vroeg tot hoelaat hij elke avond op mocht blijven, en of hij een keer 's nachts mocht zwemmen. We gingen erover nadenken, zeiden we.

Waar ik keek, zag ik kinderen. Ik had er nog nooit zoveel bij elkaar gezien.

De volgende ochtend dropten we Luuk bij Kikoland. We werden opgewacht door drie overenthousiaste, manshoge mascottes, waar hotelmedewerkers in zaten: Kiko (een kuiken met een zwarte kuif), Hooky (een piraat met een roodbruine baard en een ooglap) en Cuqui (een roze draak die lippenstift en een hoedje op had).

Luuk werd onthaald alsof hij jaren vermist was geweest. Hij voelde zich er zichtbaar meteen thuis. Zonder gedag te zeggen verdween hij in het knutselhok.

Wij vermaakten ons in de turquoisekleurige zee en op het witte hotelstrand met een stapeltje glossy's, wat boeken, een zak maagzuuropwekkende chips uit de supermarkt en een ijsemmer met rosé van de strandtent. Faye wilde liever bij het zwembad liggen, dan hoefde Luuk niet zo ver te lopen als hij ons wilde zien. Maar daar had ik een stokje voor gestoken, gezien het kabaal van al die bommetjes makende kinderen. Daarbij lag je er hutjemutje naast elkaar, en hier op het strand was het rustiger.

Ik merkte dat Faye onrustig was, en zich niet leek te ontspannen.

'Zou Luuk het wel leuk hebben?' had ze al een paar keer gezegd.

De eerste keer had ik een bedroefd gezicht getrokken en gezegd: 'Ik vrees van niet. Hij moet zich stierlijk vervelen tussen die honderden kinderen van zijn eigen leeftijd.'

Faye zei lachend 'lul' en bladerde verder in de *Beau Monde*. Ze constateerde tot haar tevredenheid dat een of andere glamourdiva 'enorme stalpoten' had.

Na vijf minuten vroeg ze: 'Of zal ik even bij Luuk gaan kijken?'

Ik zei dat dat Luuk zelf waarschijnlijk weinig kon schelen, maar dat ik het wel leuk zou vinden als mijn meisje eens een beetje relaxed van haar vakantie zou gaan genieten. Faye ging 'toch maar even kijken'.

Zo ging het eigenlijk elke dag tijdens onze vakantie: Luuk had de tijd van zijn leven, ik lag op een strandbed, en Faye maakte zich continu zorgen of we Luuk niet te veel aan zijn lot overlieten en of het wel leuk genoeg voor hem was.

Ik was het gezeur na vier dagen beu. Wat mij vooral irriteerde, was dat Luuk elke dag zijn vader moest bellen om tot in detail te verhalen over wat hij allemaal gedaan had. Als we hem ophaalden, joelde hij: 'Dit ga ik straks aan papa vertellen!'

'We zijn hier met z'n drieën als gezin. Luuk moet leren dat we het hier dan ook samen doen. Zonder Jens. Wat heeft die ermee te maken?' zei ik.

Faye vond dat onzin. 'Maar als je je daar beter bij voelt, laat ik hem wel om de dag bellen,' zei ze.

'Maar je bent het toch met mij eens dat Luuk zal moeten accepteren dat ik de vaderfiguur ben als we met z'n drieën zijn?' vroeg ik. Faye keek mij aan. Ze zei niets. Ze leek verdrietig.

Luuk had feilloos door dat ik mij rot ergerde aan hem. 'Mam, waar gingen wij met papa vroeger ook altijd weer heen op vakantie, toen hij nog bij ons woonde en Tycho niet?' vroeg hij, mij hondsbrutaal aankijkend, toen we aan onze vaste tafel in het restaurant zaten.

Ik negeerde zijn gezuig. Toen Faye even naar het saladebuffet was en Luuk naar de wc moest, keek ik onopvallend om mij heen, peuterde een brok uit mijn neus en duwde dat in zijn pizza margarita.

'Je lekkere pizza wordt koud. Eet maar snel op!' zei ik toen Luuk terug was.

Ik was blij dat we na een week weg mochten, en omhelsde zelfs Kiko, Hooky en Cuqui.

Op Schiphol namen we een taxi naar Amstelveen. De chauffeur vroeg of we een leuke vakantie hadden gehad.

'Echt héél erg leuk,' zei ik.

'Met mijn echte vader ga ik ook op vakantie,' zei Luuk vanaf de achterbank. 'Naar Italië, in een huisje met een tafeltennistafel. Mijn vader heeft een Porsche GT3.'

'En die kan driehonderd,' zuchtte ik.

De chauffeur keek mij van opzij aan.

'Dan doen wij dat volgende keer toch óók, Luuk! Een huisje huren. Waarom naar een duur kinderparadijs gaan? Het maakt je tóch niet uit. Goed om te weten,' zei ik vervolgens voor mij uit.

Luuk zei daar niets op. Faye keek naar buiten.

35

Zes dagen later. Het was half twaalf 's avonds, en klam warm. Het afgelopen weekend had ons land 'tropische' temperaturen genoten – tussen de dertig en zesendertig graden. Faye en ik waren die dag naar Zandvoort geweest en lagen op de bank, met de schuifpui open. Luuk was met Jens en zijn nieuwe vriendin Pam naar Italië. In de GT3.

Ik vond het een verademing om twee hele weken alleen te zijn met Faye. Na onze gezinsvakantie op Menorca was de sfeer thuis enige dagen wat gespannen geweest. Maar nu Luuk er niet bij was, werd Faye ineens weer die grappige en spannende vrouw die ik had ontmoet tijdens de Amsterdam Fashion Week.

Ze lag loom tegen mij aan. Ze droeg haar bikinislip nog, maar had haar bovenstukje uitgedaan. Over haar glimmende borsten lag een transparante doek. Ze nipte van mijn longdrinkglas, waarin ik een Bacardi-cola had gemixt. Eén been had ze over mijn kruis gelegd. Met haar kuit wreef ze over mijn pik, die in mijn boxershort zijn kop opstak. Ik pakte haar been, duwde dat van mij af, en stond op.

'Wat ga je doen?' zei Faye verbaasd kijkend.

Ik liep naar mijn aktetas die naast de eettafel stond en pakte er een plastic zak uit.

'Ik heb iets,' zei ik. 'Het lag nog in de Kerkstraat. Ik had het vrijdag al in mijn tas gestopt. Ik wilde je het al een tijdje geven. Dit is wel een goed moment.'

Faye kwam omhoog van de bank.

'O? Wat spannend. Iets héél duurs? Zeg ja.'

'Niet duur, wel bijzonder. Voor mij van onschatbare waarde zelfs.'

Ik liep terug naar de bank en haalde een fles uit de zak. Ik ging weer naast haar zitten en liet het etiket lezen. 'Volmaakt Geluk' stond erop.

Faye nam de fles likeur aan en las hardop: 'Bourbon vanille, noten en een distillaat van rozen- en vanilleblaadjes. Lief dat je dit voor mij gekocht hebt.'

'Ik heb de fles niet gekocht. Die heb ik jaren geleden van Zenna gekregen, ze zei dat als ik ooit de ware zou vinden, ik dan deze likeur met diegene moest drinken. Maar als dat niet voor mijn vijftigste was, moest ik verplicht háár ten huwelijk vragen,' legde ik lachend uit.

'O. Bijzonder. Weet je zeker dat ze niet hoopte dat je 'm ter plekke met haar zou leegdrinken?' vroeg Faye.

'Nou, laten we het erop houden dat ze me deze fles gaf in een ander tijdperk. De fles is voor jou, en ik wil hem nu met je openen om een glas te drinken. Of het te zuipen is, weet ik niet, maar ik weet wél dat ik 'm met jou wil drinken. Gelukkiger dan met jou kan ik niet worden.'

'Zelfs als je nog een keer naar Kikoland moet met ons?' grinnikte Faye.

'Desnoods.'

Faye liet de doek van haar borsten glijden en kwam voor me zitten. Ze boog zich naar mij toe en gaf mij een innige kus. 'Pak jij de glazen dan?' zei ze toen.

De likeur was erg zoet, en na een paar slokken vonden we het wel mooi geweest. Faye pakte mijn hand en trok mij mee naar onze slaapkamer. 'Daar is het koeler, we zullen het nodig hebben, Casanova!' zei ze, met een vet aangezette knipoog.

Toen we ons in bed verstrengelden, hijgde Faye: 'Laten we het zonder doen. Ik weet dat je geen kinderen wilt, maar het gaat écht niet gebeuren. Ik ben niet meer vruchtbaar, dat weet je. En ik wil je voelen in mij. Ik wil je helemaal.'

'Hoe weet je dat zo zeker?'

'Liefje, ik heb werkelijk alles geprobeerd voor een tweede, maar de dokter zei dat mijn vruchtbare jaren echt voorbij zijn.'

'En als je tóch zwanger raakt?' zei ik, terwijl ik haar venusheuvel streelde.

'Mmm.' Ze kreunde. 'Als het wél zo is, wat het achtste wereldwonder zou zijn... dan zal je de gevolgen moeten aanvaarden,' zei ze op samenzweerderige toon.

Ik liet mij verleiden. Het was veel lekkerder zo.

Statistisch gezien was de kans verwaarloosbaar.

36

Gregor belde. Er was een tip binnengekomen dat een populaire presentator van de publieke omroep die avond in het Van der Valk Hotel in Breukelen zijn minnares zou ontmoeten – volgens de bron een wekelijks uitje voor de getrouwde tv-ster.

Zijn pech was dat hij geregeld kritiek had geuit op 'onze bladen' en categorisch elke interviewaanvraag had geweigerd. Ik had hem vaak aangesproken op omroepfeestjes, waar hij mij met nauwelijks ingehouden dedain had genegeerd. Dit zou een geschikt moment worden om hem te laten voelen hoe de machtsverhoudingen ook alweer lagen.

'Regel je zelf een fotograaf? Bel Aad maar,' zei mijn hoofdredacteur. 'De tip kwam betrouwbaar over. We weten haar naam. Dat mokkel is een regieassistente die al twee seizoenen voor hem werkt. Daarvoor had ze iets met een advocaat. Een roofkip. Ze is blond, lang en rijdt in een oud model Land Rover Freelander, een zilvergrijze.'

Bij veelbelovende tips briefde hij mij altijd wat kortaf, zakelijk. Ik maakte staccato aantekeningen op de achterkant van een belastingenvelop.

'Ze komen apart om een uur of acht, spreken af in een kamer en verlaten het hotel kort na elkaar, meestal rond elf uur. De kans is klein dat we ze samen voor de lens krijgen, maar niet geschoten is altijd mis. Aad is een expert in de schemer dus die vindt wel een manier om ze in beeld te krijgen. Niet al te scherp beeld is bij dit verhaal juist wel spannend. Spreek ze pas aan als we goed beeld hebben, hè? Wrijf die lul maar in dat we er vol voor gaan. Had ie maar een keer moeten meewerken,' instrueerde Gregor mij onnodig – dit zou een routineoperatie worden.

'Hebben we de naam van die tipgeefster?'

'Nee, wilde ze niet geven. Maar ze belde op een nummer van de tv-studio en ze wist van de hoed en de rand. Zal wel een collega zijn aan wie dat sletje dit ooit verteld heeft op een van die drugsfeestjes van ze. Die tipgeefster wil vermoedelijk hogerop en hoopt natuurlijk dat dat wijf ontslagen wordt als ze er bij ons in staat.'

Gregor maakte een knorrend geluid. 'Wat een rechtvaardig werk doen we eigenlijk, hè? Bel je mij? Niet aanspreken zonder foto's dus. Dan pakken we ze volgende week alsnog. Dit weten die amateurs van de concurrentie toch niet.'

Ik hing op en belde Aad. Die zei: 'Ik zal er om zeven uur staan. Als jij er rond half acht bent, stap je bij mij in. Neem even iets te snacken voor mij mee, ik sta nu ook ergens te posten en ik kan niets eten hier.'

De tip was goud. De regieassistente draaide haar Land Rover iets voor achten het niet al te volle parkeerterrein op, en zette haar auto in ons zicht – meevaller één. Met een tas in haar hand liep ze naar de ingang. Lekker ding, de man had smaak.

Aad gaf mij een high five. 'Perfecte plek dit. Nou die klojo nog en we zijn er.'

De tv-bobo arriveerde keurig acht minuten later. Hij zette zijn aanstellerige Saab Cabrio pal naast haar auto en stapte gehaast uit. Hij keek om zich heen en verdween in het hotel. Dat ze naast elkaar stonden, was meevaller twee: mochten ze wél samen naar buiten komen dan hadden we ze – vanaf deze afstand had Aad nog licht genoeg.

Na ruim drie uur, vijf blikjes bier en wat notenrepen viel de derde meevaller vol in onze schoot. De presentator en zijn minnares kwamen weliswaar een paar minuten na elkaar naar buiten, de sloerie eerst, maar hij stapte bij haar in de auto. Daar zaten ze nog zeker tien minuten heel wild te tongen, in het volle licht van een lantaarnpaal.

De Canon van Aad schoot als een mitrailleur de ene bruikbare plaat na de andere. Snel keek hij tussendoor op zijn camerascherm en aan zijn breder wordende grijns te zien ging het als een trein.

'Tering! Dit is de jackpot! O, wat gaat het die gast bezuren,' riep Aad.

'Heb je genoeg?' vroeg ik.

'Meer dan,' bevestigde hij.

'Dan ga ik er nu op af, anders zijn ze weg. Wacht even op me, oké?'

De tv-ster en zijn minnares zagen mij niet aankomen. Ze schrokken op toen ik aan zijn kant tegen het raam klopte. De presentator dook weg in de oksel van zijn jasje en sommeerde de vrouw met een paniekerig handgebaar weg te rijden.

Ik trok zijn deur open, die niet op slot bleek.

'Hallo!' zei ik vrolijk, al schoot de adrenaline door mijn lijf. Ik moest nu niet verslappen.

Hij vroeg met een boze, maar trillende stem: 'Wat moet jij hier? Dit is privé!'

'Dat is precies waarom ik hier ben. Was het lekker, samen in die hotelkamer?'

De tv-ster stapte uit. 'Weg! Rijden jij!' riep hij door de openstaande deur met overslaande stem naar binnen. Hij gooide het portier dicht en de Land Rover sloeg aan. De blondine gaf een dot gas, keek niet op of om, en denderde met loeiende motor het parkeerterrein af.

Hij wilde in zijn Saab stappen, maar ik hield hem tegen bij zijn arm. 'Luister even naar me. We hebben foto's van jou en deze dame. Net gemaakt. Haarscherp. En we weten van iemand uit dit hotel wat jullie hier elke week samen uitvreten.'

Dat laatste verzon ik, om onze tipgeefster uit de wind te houden. Vanuit mijn ooghoek zag ik hoe Aad in zijn Jeep Cherokee foto's van de presentator en mij maakte; altijd handig als bewijs dat we de man ook werkelijk gesproken hadden.

De presentator keek mij zwijgend aan. De haat vlamde van zijn samengeklemde kaken.

'We weten alles en we hebben jullie op de foto. Aad kennende, hij zit daar in die Jeep dus zwaai anders even leuk, heeft hij zojuist honderden geschikte foto's geschoten. Hij zat te stuiteren naast mij, dus dat zit zeker goed. Volgende week woensdag staan ze op de cover. Ik hoef je dit niet te vertellen, maar ik vond het wel zo fatsoenlijk om het je alvast te melden. Dan kun je het nog even netjes met je echtgenote bespreken. Mocht ze er al vanaf weten, is er al helemaal geen man overboord,' zei ik, de man aankijkend zoals ik dacht dat maffiosi zouden doen.

'Misschien heb je een reactie voor mij? Dat zou helemaal perfect zijn,' zei ik.

'Een reactie? Die heb ik zeker,' zei hij. Hij beukte een vuist in mijn gezicht. 'Vuile schoft!' Hij stapte snel in, vergrendelde zijn portier, startte de Saab en scheurde schokkend weg.

Aad kwam op mij af rennen. 'Gaat het?' vroeg hij.

'Ja, joh. Ik heb alleen een bloedneus volgens mij. Heb je de klap op de foto?'

'Is de paus katholiek?' vroeg Aad grijnzend.

De week daarop, ons blad lag sinds die ochtend in de winkel en iedereen had het nieuws overgenomen, spuwde de tv-ster dezelfde avond in een latenightshow zijn gal over 'dat gajes van de roddelpers' en noemde hij mij 'een aasgier in Armani'.

Ik schreef 'm meteen op – geweldig!

Zijn vrouw vroeg echtscheiding aan.

Fijn. Dat was weer een extra verhaal.

Ik bekeek de uitzending op de redactie, met Gregor en vormgeefster Rinske, van wie we wisten dat ze het met hem deed, in de avonduren, meestal op zijn bureau.

Gregor leunde tevreden achterover, terwijl de aftiteling voorbij rolde. 'Godverdomme, dit was smullen! Je hebt vakwerk geleverd, mijn vriend. Ik hoorde van de sales dat het nummer niet aan te slepen is – overal uitverkocht! Dat moet gevierd worden. Wat dacht je van een magnum sjampoepel ergens? Hilton? Rembrandtplein? Yab Yum desnoods!' bulderde hij.

'Dat bestaat niet meer,' zei Rinske zuur.

'Dat zal jij weten,' zei Gregor. 'Jij mag niet eens mee. Dit zijn mannenzaken!'

Ik bedankte mijn baas voor het aanbod. 'Maar ik ga liever naar huis eigenlijk.'

Gregor fronste zijn voorhoofd. 'Naar huis? Jij? Mijn sterreporter? Die na party's altijd met de eerste vuilniswagen naar huis lift? Die peut op je neus is toch harder aangekomen dan ik dacht. Afschuwelijk! Ben je gecheckt op hersenletsel? Naar huis? Geen sprake van! We gaan feesten en beesten! Achter de hertjes aan!'

Ik lachte wat onwennig. 'Sorry, *boss*. Ander keertje. Beloofd. Er wordt op me gerekend thuis.'

Gregor trok een gezicht vol afschuw. 'Goed, je moet het zelf maar weten. Ga naar huis en geef dat lekkere vrouwtje van je dan maar flink van jetje,' blafte hij.

Mijn baas draaide zich om naar Rinske: 'Nou, dan moet jij maar met me mee.'

37

'Geen liefdesbaby, hoor!' riep Faye vanuit de badkamer, toen ik thuiskwam. 'Het wc-papier was roze. Ik ben ongesteld, voel ook al kramp.'
   'Perfect!' joelde ik terug.

38

Na een week was Faye nog steeds ongesteld. En de kramp werd eerder heviger dan minder, zei ze. 'Ik voel me echt belabberd,' klaagde ze vanaf de bank.

Ze belde haar huisarts. Die zei dat het soms gewoon iets langer duurde. Als het over een dag of vijf nog steeds niet over was, moest Faye maar even terugbellen.

Faye bleef bloeden. Alleen de kleur veranderde. De lichtroze afscheiding was helderrood geworden en inmiddels zwartbruin. Er zaten stolsels op haar tampon.

'Zou het een miskraam kunnen zijn?' vroeg ik – geen idee hoe ik erop kwam.

'Denk je dat je wonderzaad hebt?' vroeg Faye vermoeid. 'Ik ben écht niet zwanger geweest en ik heb géén miskraam gehad.'

Toch begon Faye te twijfelen, na het uitspreken van mijn vermoeden. De volgende avond zei ze: 'Dat kan toch niet? Laten we toch maar een test halen. De apotheek in het ziekenhuis schijnt tot elf uur open te zijn. Wat maakt het uit? Stel dat het zo is, dan moeten we dat wel weten.'

Twintig minuten later was ik terug, met een zwangerschapstest. De eerste die ik in mijn leven in mijn handen had.

'Welke heb je?' vroeg Faye.

'Welke? Geen idee. Ik kreeg er gewoon eentje.'

'Kom, *let's get it over with*,' zei Faye en ze slofte voor mij uit naar de badkamer.

Bij de wasbak scheurde ik de verpakking open. In de gebruiksaanwijzing stond dat ze over het uiteinde van de test moest plassen. Urine in een beker opvangen en daar de stick in houden mocht ook. Er zou eerst een verticale roze streep verschijnen, die zou aangeven dat de test correct was uitgevoerd. Zou er sprake zijn van een zwangerschap, dan verscheen er binnen vijf minuten een tweede, horizontale streep, las ik voor.

'Ja, geef nou maar hier, professor. Ik heb dit vaker gedaan, weet je nog? Je denkt het echt, hè?' zei Faye. 'De paniek staat in je ogen.'

Ze trok haar slipje naar beneden en plaste op de wc over het strookje. Er ging een beetje over haar vingers heen, maar het meeste trof doel.

Ik pakte de test van haar aan en legde 'm voorzichtig naast de wasbak neer.

De eerste roze streep verscheen. De test deed het.

'Nou, daar gaan we. Vijf minuten wachten,' zei ik.

'Ik zou er maar een dik boek bij pakken, schat,' zei Faye, die voor de spiegel met een pincet een haartje uit haar wenkbrauw trok.

Het was niet nodig om vijf minuten te wachten. Er verscheen binnen de minuut overduidelijk een tweede streep.

39

Het moest wel een miskraam zijn geweest, dacht Faye. Het zwanger-schapshormoon kon nog in haar lichaam zitten, en daarom was de test vermoedelijk positief. Morgenochtend zou ze meteen de huisarts inlichten. Maar eerst ging ze haar zus en haar vriendinnen bellen. Ze pakte haar BlackBerry.

Terwijl ik Faye om de haverklap 'Hoe vínd je dat?' hoorde zeggen, opende ik mijn laptop en typte ik op Google 'miskraam' in. Ik had geen flauw idee wat een miskraam precies inhield maar aangezien we er kennelijk zelf middenin zaten, wilde ik het naadje van de kous weten.

Op Wikipedia las ik, naast informatie over het verloop en de oorzaken van miskramen, dat bloedverlies zoals Faye had niet automatisch betekende dat het einde oefening was: in vijftig procent van de bloedingen werd de zwangerschap gewoon voldragen.

Fuck.

Ik kwam al snel terecht op het 'grootste baby- en zwangerschaps-forum van Nederland', aldus de website. Daarop waren veel ervaringen van zwangere vrouwen te lezen. Er was ook een miskraamfo-rum. Toen ik doorklikte, bleek dat ik moest inloggen om berichten van anderen te kunnen lezen.

Als gebruikersnaam vulde ik Barbapapa40 in, als wachtwoord Stolsel1. Die waren nog vrij.

Het forum werd geopend met een opbeurende mededeling. 'Hier vind je alles op het gebied van zwanger worden, zwanger zijn, bevallen en de tijd na je bevalling. Ervaringen en verhalen van gewone vrouwen die jou zijn voorgegaan en die je willen helpen met al je vragen en probleempjes.'

Mijn forumgenoten waren die avond Wondermama, iLoveMy-Kids en Dankbaar99. Ik had geen aandrang mee te discussiëren, maar was wel benieuwd naar wat anderen zouden *posten* over hun mis-kraam.

Ik schoot in de lach toen ik in de reflectie van het laptopscherm mijn ernstige gezicht zag. Zat ik hier werkelijk andermans mis-kraamervaringen te bestuderen?

Toch scrolde ik verder. Het forum bleek één groot drama. Vrouwen treurden openlijk met elkaar over miskramen, doodgeboortes en alles wat er in baarmoeders gruwelijk fout kon gaan. Ze noemden elkaar 'meis' en gebruikten alle icoontjes. Bij veel vrouwen zaten 'de tranen hoog'. De meest voorkomende zin was: 'ik duim voor je!'

Ik leerde zwangerschapsjargon, zoals ongi (ongesteld) en gyn (gynaecoloog). 'Klussen' was neuken voor een bevruchting, en op het forum werden icoontjes van rode duiveltjes gebruikt als je ongesteld was geworden – een van de ergste dingen die je volgens het forum kon overkomen.

Er bestonden ook veelgebruikte afkortingen: mk voor miskraam, lm de laatste menstruatie, nod de niet-ongesteldheidsdag (de dag dat je eigenlijk ongi had moeten worden), bbz een buitenbaarmoederlijke zwangerschap en hcg (human chorionic gonadotropin), het hormoon dat de placenta produceert vanaf de innesteling van de morula – het bevruchte eitje dat daarvoor nog een zygoot was – in de baarmoeder, wat een positieve zwangerschapstest opleverde.

Morula. Zygoot. Het leek wel een Harry Potterfilm.

Er kwamen ook onsmakelijke begrippen voorbij als bruinverlies (wat vaak duidde op een innestelingsbloeding) en windei (een leeg vruchtzakje).

Een windei. Hoe verzonnen ze het.

Een gemiddeld bericht ging als volgt: 'Goedemiddag dames, al enige tijd probeer ik zwanger te worden, inmiddels één keer zwanger geweest, maar dat liep uit op een mk. Nu heb ik mijn ei afgelopen donderdag gehad vermoed ik, nu heb ik over tien dagen mijn nod. Ik had net bruinverlies toen ik naar de toilet ging. Ik heb dit nog niet eerder gehad. Iemand een idee?!?'

Reactie: 'Kan innestelingsbloeding zijn. Hopelijk snel een positieve test ☺'

Het was één grote soap.

Ik wilde weten: hoe groot was de kans dat er nog enig leven van mij in Faye zat? Het forum oordeelde per saldo: bloed is niet goed. Vooral rood bloed niet. Bruinverlies was al iets beter; dat kon innestelingsbloed zijn.

Had Faye bruinverlies gehad? Zodra ze klaar was met bellen zou ik het haar vragen.

Op het forum stond dat bij vaginaal bloedverlies tijdens de zwangerschap de kans vijftig procent was dat het om een miskraam ging, net zoals op Wikipedia stond. Miskramen, gemiddeld in vijftien procent van de zwangerschappen, bleken de manier van het lichaam te zijn om op natuurlijke wijze een vrucht af te stoten die een afwijking in de chromosomen had. Dat overkwam jaarlijks twintigduizend vrouwen. In onze leeftijdscategorie 35-40 jaar was dat een hoge score van één op vijf, en in de categorie 40-45 jaar zelfs al één op drie.

Er waren nogal wat vrouwen op het forum die wel rood bloed hadden, maar die uiteindelijk géén miskraam hadden gekregen. San123 was zo iemand. Ze schreef: 'Ik had de eerste weken voortdurend bloedverlies. Ik dacht natuurlijk meteen het allerergste!! Maar het was loos alarm: de kleine man is ondertussen veertien maanden! Dus blijf hopen, meiden!'

Dat kon dus betekenen dat ook onze miskraam helemaal geen miskraam was.

Faye had opgehangen. 'Iedereen vindt het onvoorstelbaar, van mijn kippenhok! Esmée ging al sokjes breien voor de volgende zwangerschap, dat gekke wijf.'

'Had jij bruinverlies of rood bloed, weet je dat nog?' vroeg ik ongeduldig.

'Wat?' zei Faye.

Ik vertelde haar wat ik gelezen had over de miskramen die geen miskramen waren. 'Die San123 had het ook, maar heeft een kerngezonde zoon gekregen.'

'Wie? San123? Vraag haar anders een keer te eten met zoon123,' zei Faye, lachend.

'Even serieus, Faye, kom op. Je zei dat je niet zwanger kon worden, nou, kijk eens hoe goed dat is gelukt. Ik wil even weten waar ik aan toe ben, mag dat?'

Faye keek me lang aan, draaide zich toen om en liep zonder iets te zeggen naar de badkamer.

De gynaecoloog in het ziekenhuis constateerde twee dagen later via een vaginale echo dat er in Faye's baarmoeder resten van een zwangerschap te zien waren. Ze was daadwerkelijk in verwachting geweest.

In de auto naar huis werd Faye emotioneel.

'Baal je?' vroeg ik, terwijl ik met mijn hand over haar been wreef.

Ze knikte. 'Jaren kon ik niet zwanger worden, na Luuk. Met IUI en IVF heb ik geprobeerd een tweede kind te krijgen, waarop Jens me in de steek liet. Daarna had ik mij erop ingesteld dat ik nooit opnieuw moeder zou worden. Terwijl dat mijn droomwens was. Dan kom ik jou tegen, we doen het zonder condoom en ik raak acuut zwanger! Dit slaat helemaal nergens op.'

Ze haalde haar neus op. Ik stopte, er stak een moeder met drie kleuters over. Ze droegen feesthoedjes. Faye wees ernaar. 'Doet dat je niets?'

Ik glimlachte. 'Je weet hoe ik erover denk, schat. Kijk naar die vrouw, die is alleen maar met die kinderen bezig. Dat zie je toch zo. Die heeft geen leven meer, hoor. Haar man al helemaal niet. Die komt straks thuis en moet dan drie keer hun verhaal aanhoren en zeggen hoe trots hij op ze is, maar hij popelt om ze naar bed te brengen en iets leuks met zijn vrouw te doen. Maar die is al druk bezig met het opruimen van de puinzooi en wil later in bed alleen maar slapen want "erg moe".'

Ik trok op. 'Ik heb je toen we elkaar leerden kennen verteld dat ik niets met kinderen heb. Jouw zoon is een uitzondering. Dus ja: ik ben opgelucht dat je niet zwanger bent. Daar hadden we ook niet om gevraagd, laat staan op gerekend. Laten we lekker met z'n tweeën blijven. We kunnen zo veel meer doen zonder kind.'

'Wat lul je nou? Ik heb een kind!'

'Precies. Dat is toch genoeg?'

'God, wat ben je tactvol. We hebben het hier niet over een kilo meer of minder, we hebben het over een leven. In mijn buik. Dat dood is, hoor je me?'

'Ja, ik hoor je luid en duidelijk. Radio Scheveningen is er niets bij. Luister, schat: ik wil geen kinderen, jij kunt ze kennelijk niet meer krijgen na Luuk, je bent per ongeluk zwanger geraakt, dat is misgegaan, en alles is nu weer bij het oude. Wat is het probleem precies?'

Maar Faye zei niets meer. Ze staarde de rest van de autorit uit het zijraam.

Thuis liep ze linea recta de slaapkamer in en kwam niet meer naar beneden.

40

De dagen erna meden we het onderwerp 'miskraam'. Na een week durfden we een voorzichtige grap te beginnen ('Lopen twee zygoten door de Kalverstraat...') en niet lang daarna kon ik op zondagochtend aan Faye vragen hoe ze haar eitje wilde zonder dat ze in snikken uitbarstte.

Maar toen ik een paar weken later tegen etenstijd thuiskwam, zat Faye in mineur aan tafel. Haar make-up was doorgelopen. Ze hield haar BlackBerry vast.

Ik zette mijn tas neer en kuste haar.

'Jens belde net. Pam is zwanger,' snifte ze. 'Ze hebben het Luuk vanmiddag na school verteld. Hij is door het dolle heen. Ik kan er niets aan doen en vind mijzelf een kutwijf, maar ik voel mij er zó klote bij. Met mij lukte het nooit en zij is verdomme huppakee meteen zwanger. Heeft die zak toch nog zijn zin met zijn tweede kind.'

Ik wist niet goed wat ik moest zeggen.

'Laten we proberen blij voor ze te zijn,' probeerde ik. 'Al begrijp ik ook dat dat makkelijker is gezegd dan gedaan.'

Faye haalde haar neus op. 'Dat weet ik wel. Het komt ook door die miskraam. Daardoor dacht ik even dat het ons ook misschien gegund zou zijn,' zei ze met haperende stem.

Ik gaf Faye een vel keukenpapier. Ze snoot haar neus. Ik ging in de stoel naast haar zitten en trok haar bij mij op schoot.

'Ik wil óók een kind! Verdomme!' riep ze, terwijl ze mij omhelsde. Ze huilde.

Het wond mij erg op als Faye huilde. Ik werd er apegeil van. Mijn pik duwde tegen de billen van Faye aan. Hij wilde naar buiten. Er bij Faye in. Diep en hard in haar rammen. Haar volspuiten.

'Zeg,' zei Faye, 'zit jij hier nou gewoon een stijve lul te krijgen?'

Ik lachte. 'Weet je wat? We maken er gewoon zelf ook nog één!'

Dat was uiteraard niet serieus bedoeld.

III

41

Het Sheraton La Caleta Resort & Spa in Costa Adeje op het Canarische eiland Tenerife zag er in de stortregen toch anders uit dan op de website. Faye en ik holden met een gele Schipholtas boven ons hoofd vanuit de taxi de receptie in. Achter ons de kofferjongen met onze bagage op een kar. Hij was doorweekt.

Luuk was een week bij Jens. Dat gaf ons gelegenheid in de zon wat tijd voor elkaar te maken. De miskraam was verwerkt, maar de intimiteit tussen ons leek veranderd. De seks was niet langer ongedwongen. Van condooms was ik nooit een liefhebber geweest, dus het was voor het zingen de kerk uit. En toch bleef die zwangerschap tijdens de seks in mijn kop zitten. Faye was niet langer alleen maar een wilde in bed, ze was ook een vrouw die zwanger kon worden.

De receptionist beloofde, omgeven door een knoflookwolk van een meter doorsnee, op dringend verzoek van Faye dat het weer 'zeker' beter zou worden. Als de zon geschenen zou hebben, hadden we hem sowieso niet zien ondergaan: onze Superior Room op de begane grond keek uit op de zijmuur van een naastgelegen hotelkolos.

Op de kamer zelf was weinig aan te merken. Donker hout, zachtgeel gesausde muren en beige marmer op de vloer. Het kingsize bed had een geribbeld, houten hoofdbord en er hingen obligate hotelkamerschilderijen van planten in potten. De luxe badkamer had een inloopdouche waarin je een bescheiden balletvoorstelling kon geven.

'Mag ik ook jouw hangers?' vroeg Faye die haar koffer al bijna volledig leeg had, terwijl ik de kamer inspecteerde. Ze had de zonnebril van Tom Ford op die ze vanmorgen op Schiphol van mij gekregen had, nadat ze eerst alle modellen uit het rek uitgeprobeerd had. We hadden daardoor bijna onze vlucht gemist.

Nadat ook ik mijn koffer had uitgepakt, mijn kleding in één stapel op de enige overgebleven plank legde en mijn iPod in de meegenomen speaker geplaatst had, gingen we op het overdekte balkon naar de regen kijken.

'Zullen we gaan lunchen?' zei Faye nadat we een tijdje geprobeerd hadden de idylle van een overstroomd eiland te zien. 'Zou die Japanner open zijn? Ik heb zin in zalmsushi. Lekker exotisch.'

Het bleef die middag zwaarbewolkt. Maar het was warm, dus besloten we bij het zwembad te gaan liggen. Dat bleek ondanks de donkergrijze lucht niet eenvoudig. Praktisch de hele hoteltuin werd in beslag genomen door een kolonie hoogblonde mensen, aan hun opgewonden geschreeuw met veel 'eu's' te horen Scandinaviërs.

We vonden na enig zoeken twee bedjes, waarvan één wankel, pal voor het terras van het buffetrestaurant, waar we zojuist gegeten hadden omdat de Japanner nog dicht was.

Het gekletter van servies en bestek werd overstemd door de ABBA-achtigen om ons heen. Van een wat ouder Vlaams echtpaar naast ons, dat zich net als ik duidelijk mateloos stoorde aan de onverstaanbare luidruchtigheid, begreep ik dat het Zweedse autoverkopers waren die hier aan een vijfdaags seminar deelnamen. Terwijl zij in een conferentiezaal hun programma volgden, domineerden hun meegereisde partners en kinderen onze omgeving.

Het zwembadgeschreeuw van de pubers werkte op mijn zenuwen. 'Uprutten!' riep ik naar het zooitje. De tieners wekten niet de indruk mij begrepen te hebben.

'Vind je dat je véél overwicht hebt of gaat wel?' vroeg Faye, vanachter een modeglossy. 'Blok die kinderen, en haal eens een lekker koele mojito voor ons.'

Ik stond op. 'Goed plan. De volgende keer boeken we een *adults only*hotel.'

'Wat ben je toch een heerlijke kinderhater,' zei Faye lachend.

'Ze moesten verboden worden in hotels. Witte of bruine rum?'

In de inloopdouche hadden we aansluitend fijne namiddagseks. De kraan openzetten waren we in alle geiligheid zelfs vergeten. Terwijl ik nagenietend bloot op bed lag en de wifi op mijn iPhone instelde, riep Faye iets vanuit de badkamer.

'Wat?' riep ik hard terug.

'Ik heb een beetje bloed.'

Ik stond op en liep naar haar toe. 'Van net? Heb ik iets geraakt of zo?'

'Weet ik veel. Dat hebben we normaal toch ook niet?'

'Heb ik je weer eens zwanger gemaakt?'

Faye maakte een zenuwachtig lachgeluid. 'Ik kan toch niet zwanger zijn?'

Natuurlijk kon dat niet, probeerde ik mezelf gerust te stellen. Ik zorgde altijd dat ik weer op tijd vertrokken was. Dat gaf misschien niet voor honderd procent zekerheid, maar toch zeker wel genoeg. 'Moet je niet gewoon ongesteld worden?'

'Ergens eind deze week. Maar ik voel geen kramp. En mijn tieten zijn gevoelig,' zei Faye, die een stuk bleker zag dan daarnet.

'Schatje, ik denk dat je je druk maakt om niks,' zei ik.

'Ja, hè? Ik maak me vast zorgen om niks,' zei Faye, terwijl ze haar armen om me heen sloeg en haar hoofd op mijn schouder legde.

Op Google zag ik dat de dichtstbijzijnde *farmacia* in het winkelcentrum in Playa de las Américas zat, een badplaats verder.

Het Spaanse propje achter de toonbank sprak beroerd Engels, en begreep niet wat ik bedoelde. Ik wees naar Faye, pantomimede een bolle buik en spreidde mijn handen naar boven en over-acteerde een vragende blik.

De vrouw giechelde een rij grijze tanden bloot. Ze pakte een langwerpig doosje, met daarop een zwangerschapstestafbeelding, die ze mij kinderlijk blij liet zien.

'*Sí!*' zei ik, en stak haar twintig euro toe.

'*Suerte,*' wenste de vrouw mij bij het geven van het wisselgeld. Geluk.

'Zijn die testen hier wel betrouwbaar?' vroeg Faye buiten.

Op de hotelkamer, nadat Faye in het winkelcentrum nog wat lederwarenzaken was binnengelopen en ik *De Telegraaf* van die dag had gekocht, haalde ik de test uit de verpakking.

Die liet weinig ruimte voor misverstanden, Spaans of niet. Nadat Faye over het staafje had geplast, kwam er net als de vorige keer vrijwel direct een tweede streep tevoorschijn.

We keken elkaar aan. Faye schoot in een nerveuze lach. 'Wat

bijzonder,' zei ze, en veegde een traan bij haar ogen weg.

Ik omhelsde haar innig, wreef over haar rug en probeerde mijn hartslag lager te krijgen door rustig in en uit te ademen.

42

Na thuiskomst uit Tenerife liet Faye bloed prikken in het ziekenhuis. Daaruit bleek onomstotelijk dat ze zwanger was.

'Het is een wonder,' had Faye tegen haar jubelende vriendinnen gezegd; ze kon en wilde niet wachten met hen het nieuws te vertellen tot we een echo hadden.

Ik hield mijn kaken stijf op elkaar. Eerst zien, dan geloven, al wist ik nog van het forum dat de hcg-waarde bewijs genoeg was. Maar ik kon mij er geen enkele voorstelling van maken dat er nu een delende eicel met mijn zaad erin in haar buik zat.

Faye had met haar agenda voor zich al uitgerekend dat op basis van haar laatste menstruatie op 9 februari ze op 16 november uitgerekend zou zijn – veertig weken later. Een vrijdag.

Op Google voerde ik 16 november in, waarna er een Wikipedia-pagina over die datum verscheen.

'Op 16 november 1904 werd de elektronenbuis uitgevonden door John Ambrose Fleming,' las ik voor. 'Interessant, toch? En op 16 november 1945 is in Londen de UNESCO opgericht. Kijk hier, deze is geestig: op 16 november 2001 werd er op *Domino Day* een nieuw wereldrecord gehaald met 3.540.562 omgevallen stenen.'

'Echt, ons kind zal verguld zijn met zulke mijlpalen op zijn geboortedag,' zei Faye, terwijl ze iets aan het doortellen was in haar agenda. 'Of haar natuurlijk.'

Ik las verder. 'Over die geboortedatum: ik lees hier dat de schrijvers Anton Koolhaas en Renate Rubinstein óók dan geboren zijn. Een erudiet gezelschap!'

'Liefje. De baby kan net zo goed drie dagen eerder of anderhalve week later geboren worden! Dat zegt toch niets, zo'n uitgerekende datum,' hoonde Faye.

'Oké, dan niet. Ik wil sowieso eerst de echo zien. En dan wil ik er ook nog even goed over nadenken. Over dit alles.'

Ik klapte de laptop dicht.

Het was druk in de wachtkamer van de poli Gynaecologie en Verloskunde in het ziekenhuis. Om tien voor tien kregen we een echo. De gynaecologentombola had ons dokter Rombouts opgeleverd. Faye kende hem niet.

Er ging een deur open. 'Mevrouw Clark?'

De gynaecoloog sprak binnensmonds en was moeilijk te verstaan. Hij oogde vermoeid. Ik schatte hem begin zestig. Hij had een opmerkelijk groot hoofd met rommelig grijswit haar en borstelige wenkbrauwen. Op zijn neus hing een rood leesbrilletje.

Hij verzocht ons plaats te nemen aan zijn bureau.

'Zo,' zei hij. Voor hem lag een dossier opengeslagen. 'Mevrouw Clark. Goed. En u bent?' Hij keek naar mij, over zijn bril heen.

'Tycho Ittervoort. De mogelijke vader,' zei ik.

'Mogelijk?' zei Rombouts verbaasd. Ook Faye keek mij vragend aan.

'We hebben toch nog geen echo gezien. Misschien is het weer een miskraam.'

'Op die manier,' zei Rombouts. Hij keek Faye aan. 'Ja, vijf maanden geleden had u een vroege miskraam, zie ik in uw dossier.'

'Volgens de test ben ik keihard zwanger. Ik heb dit keer amper bloedverlies.'

'Zo. Nou, we gaan eens kijken,' zei Rombouts op slome toon. Hij stond op.

Faye moest met ontkleed onderlijf in een onderzoeksstoel plaatsnemen. De babymompelaar pakte een soort staafmixer, deed er een condoom omheen en een lik vaseline op en bracht het apparaat routineus bij Faye in. Aan haar verkrampte gezicht te zien, was dat geen pretje.

Op het scherm naast de stoel waren al snel beelden van een rondje zichtbaar.

'Dit is de baarmoeder. Zo, hier zie ik een vruchtje zitten. En... een kloppend hartje. Ziet u? Dat knipperende puntje daar. Het is een eenling,' zei Rombouts. 'Ik mag u feliciteren.'

Ik was er stil van. 'Dus er zit werkelijk iets in? Iets levends?' vroeg ik.

'Ja. Het hartje klopt. Over een paar weken kunt u het hier zelfs komen horen.'

Faye straalde, ze leek wel een schijnwerper. Ik gaf haar verdwaasd een kus.

Rombouts drukte wat knoppen in op het apparaat, waar een

printje uit kwam. 'Hier heeft u het bewijsstuk,' glimlachte hij.

Faye kon zich aankleden en we moesten weer aan het bureau aanschuiven.

'Zo,' zei hij. 'U bent zes weken en vijf dagen zwanger, en uitgerekend op 16 november. Gezien uw dossier vind ik het verstandig u geregeld even te zien voor een echo. Ook wil ik graag dat u uw bloed laat afnemen. Maakt u bij de assistente meteen even een afspraak voor over vier weken.'

'We laten een hartje kloppen,' zei ik toen we naar de Alfa liepen.

'Liefje,' zei Faye en ze pakte mijn gezicht vast, 'het is niet niks, hè?'

'Nee, het is niet niks,' zei ik, en bliep-bliepte de auto open.

43

WEEK 6

Je bent ongeveer een halve centimeter groot. Op dit moment worden je hoofd, nek, ogen en oren gevormd. Vijf millimeter, dat is nog geen baby, dat is een stukje menselijk weefsel waar je nog niet van hoeft te houden. We kunnen nog terug, als we willen.

44

Faye wist zeker dat het een meisje werd. 'Enig! Shoppen in Barcelona of Rome, als ze wat ouder is. De Zara mag wel extra filialen openen!' had ze gejubeld.

'Valentine' moest het worden. 'Dat vind ik zo'n prachtige naam,' zei Faye. En als het tóch onverhoopt een jongen werd, dan zou hij Valentijn gaan heten, stelde ze voor.

'Laten we dan Tijn doen,' zei ik. 'Zo heet mijn favoriete strandtent.'

Hoe Valentine eruit moest zien, had ze ook al volledig ingekleurd. 'Jouw haar en mond, en mijn ogen en neus. Maar in elk geval niet jouw ballonkuiten of mijn vetschort,' zoals Faye haar normaal nauwelijks zichtbare buikje altijd betitelde.

Ik vond het aandoenlijk hoe Faye straalde van geluk, ze leek wel te zweven. Ik deed mijn best om blij te zijn voor haar: dit was wat ze al die tijd al wilde, een tweede kind. Ik luisterde naar haar wanneer ze fantaseerde over later, maar als ik alleen was, dacht ik aan alles wat ik op zou geven. Ik probeerde mezelf voor te stellen met een huilend kind op mijn arm, midden in de nacht, oververmoeid, bezorgd. Achter de kinderwagen over het Leidseplein met wallen onder mijn ogen. Nooit meer zomaar even een weekend Ibiza. Ik wilde dit niet – niet echt. Ik was hier niet geschikt voor. Ik zou ongelukkig worden, en dit kind had niets aan een ongelukkige vader. Maar ik kon het niet over mijn hart verkrijgen om Faye te zeggen dat het woord abortus regelmatig door mijn hoofd spookte. Ze zou kapotgaan van verdriet en dus besloot ik om het nog even aan te zien. Lafaard die ik was.

45

Faye was voortdurend kotsmisselijk. In het begin jende ik haar, door te vragen of ze trek had in haring in satésaus, of erwtensoep met mayonaise. Dat was al snel niet meer leuk, als ze weer moest sprinten naar de dichtstbijzijnde wc.

'Misschien moeten we het de familie en de rest maar vertellen,' zei Faye. 'Het begint op te vallen. Ik moest laatst al aan mijn collega's uitleggen waarom ik tijdens de vrijdagmiddagborrel ineens geen wijn meer dronk. Ze noemen mij niet voor niets altijd Chardonnay Clark – ik ben volkomen ongeloofwaardig zonder een glas wit in mijn hand!'

'Weet je het heel zeker, is dat niet wat snel? '

'Nee. Daarbij heb ik het gevoel dat het deze keer gaat lukken. We verdienen dit kind. Weet jij het zeker?'

Ik wilde graag eerlijk zijn en zeggen: nee, ik weet het helemaal niet zeker. Ik weet niet zeker of ik dit écht wel wil, of ik dan ooit nog in mijn leven een nacht kan doorhalen met Ingmar en Ralph en met een bonkende kater de volgende ochtend op de wc de krant kan lezen, zo lang als ik daar zin in heb. Ik weet niet of ik het kan, urenlang naar het gejank van een baby luisteren zonder te weten wat er aan de hand is, of ik het in me heb om op kinderfeestjes, te midden van het gejank en gekrijs en gespuug en gepoep, nog geconcentreerd een interessant verhaal te vertellen, of ik me altijd verantwoordelijk kan voelen voor een leven dat volledig afhankelijk is van ons.

Ik wilde het liefst tegen Faye zeggen dat ik best de tijd een paar weken terug zou willen draaien om die ene specifieke nacht (al wist ik natuurlijk niet welke) toch een condoom uit het nachtkastje te pakken.

Maar ik zei: 'Ja, laten we het maar vertellen.'

Mijn moeder was de eerste halte. Ze was thuis, en ging thee zetten. Toen we met z'n drieën in de keuken zaten, zei ik: 'O mam, we hebben nog een leuke foto.' Ik gaf de echofoto aan mijn moeder, die haar leesbril pakte.

'Waarvan is dit?' zei ze, terwijl ze het dunne velletje bekeek. Toen verschoot ze van kleur. 'Wacht eens... Nee, toch? Is het écht?'

'Ja, mam. Je wordt toch nog grootmoeder. Faye is ruim zes weken zwanger. Het is nog wel pril, hè.'

Mijn moeder stond op om ons te omhelzen. Ze slaakte een korte snik en wilde vervolgens alles weten. 'Hoe voel je je, Faye? Ik vind het zó enig voor jullie! Helemaal voor jou, Tycho. Ik zal je nu maar eerlijk opbiechten dat ik de hoop op een kleinkind allang had opgegeven, ik kon me niet voorstellen dat jij ooit nog...'

Ik slikte en probeerde niet te denken aan al mijn twijfels.

Daarna liep ze naar het aanrecht om sinaasappelen uit te persen. Ik kon aan haar rug zien dat ze ontroerd was.

Vanuit de auto belden we op de speaker mijn vader en die van Faye. Die van mij stond 'op de golf' en had slecht bereik, schreeuwde hij. Ik zei dat ik een leuke verrassing voor hem had en wilde net van wal steken, toen de verbinding werd verbroken. Ik belde terug. We hoorden mijn vader lachen met iemand. Toen: 'O, hallo? Tycho? Hallo?' De verbinding werd weer verbroken. Ik sms'te hem dat ik hem later zou bellen. Nadat ik 's avonds een bericht op zijn voicemail had ingesproken, belde hij mij dezelfde avond terug. 'Proficiat, kerel!' riep hij.

Pa Clark zat aan zijn ochtendkoffie in New York en kon ons ondanks de afstand uitstekend verstaan. '*Great job, guys!*' Hij vroeg ons om een echoscan te mailen.

Ingmar was geraakt, al kon hij door het achtergrondlawaai moeilijk praten. 'We hebben het verjaardagspartijtje van Annelot. Ja, ze is jarig vandaag. Wat? Nee, geeft niet, je bent het tot nu toe elk jaar vergeten. Chaos hier! Krijg jij ook, *dude!*'

'Wááát? Je lult! Echt? Geweldig! Dat moet gevierd worden!' riep Ralph uit. 'Vanavond tien uur. Palladium!'

Zenna was volgens haar voicemail aan het vliegen. Ik sprak een kort bericht in.

In het stadspark in Zuid vertelde Faye het nieuws aan de struik onder de boom met de drie takken. 'We komen over negen maanden langs met de kinderwagen, mam!' beloofde ze.

Toen Luuk uit school kwam, lieten we ook hem de echo zien.

'Ik weet wat dat is. Dat ben ik,' zei hij.

'Nee, ik heb een nieuwe baby in mijn buik. Een broertje of zusje voor jou. Een cadeau van Tycho. Is dat leuk of niet?'

Luuk straalde. 'Echt? Krijg ik hier bij jullie óók een broertje of zusje, net als bij papa? Mag ik hem bellen?'

'Tuurlijk, boef!' zei ik, terwijl ik het nummer opzocht in mijn telefoon. Ik toetste het in, en gaf Luuk mijn toestel. Jens nam niet op.

Toen Luuk en Faye in bed lagen die avond was ik afgepeigerd. Er was geen weg terug.

Ik stond op en liep naar het aanrecht, waar ik een glas whisky inschonk.

'Proost, jongen,' zei ik tegen mezelf. 'Dat je maar de juiste beslissing mag nemen. Welke dat ook is.'

46

WEEK 8

Je hart, lever, longen en nieren ontwikkelen zich. Je krijgt stompjes waar later je ledematen komen, je gelaatstrekken beginnen zich te vormen en je hart is te horen. Je hoofd is een derde van de rest van je lichaam, en je groeit nu één millimeter per dag. Je ogen zijn geopend en je krijgt neusgaten. Je hersens gaan werken en je skelet, nu nog van kraakbeen, wordt gevormd.

47

Twee keer per jaar vloog ik naar Milaan om er in één keer mijn garderobe aan te vullen. Alleen, dat vond ik het prettigst. De eerste vlucht heen, de laatste terug.

Vanaf het vliegveld nam ik een taxi naar de Piazza del Duomo, het culturele centrum van Milaan. Vervolgens *due espressi* met de ochtendkrant bij café San Carlo, een paar minuten van de dom.

Daarna werkte ik met militaire precisie een paar blokken verder de Via Montenapoleone af, de winkelaorta van de stad waar alle topmerken gevestigd zijn. Schoenen bij Fratelli Rossetti. Bij Bruno Magli. Soms Santoni. Ik rook eraan. Streelde hun neuzen. Hemden bij Etro. Flirten op straat met Milanese vrouwen, één keer zelfs met Donatella Versace. Bij Corneliani soms een pak, al droeg ik ook Trussardi van een straat verderop. De handschoenen, niet te vergeten.

Aan het eind, bij de Via Manzoni linksaf, langs de wereldberoemde operatempel Teatro alla Scala, naar Peck, in de Via Spadari: een delicatessenzaak, een culinair walhalla. Truffelolie, vier jaar oude parmezaan, Cremonasalami: er ging altijd iets tongstrelends mee naar huis. Stond toch leuker bij de borrel dan die smakeloze hompen jonge kaas, of stokbrood met eiersalade of fabriekspaté.

Als afsluiting een late lunch in de tuin van het Bulgari Hotel, een oase van stijl midden in deze stadskakafonie. En dan met de taxi terug naar het vliegveld.

Maar vandaag liet ik mijn taxi 's ochtends eerst stoppen bij Benetton. Ik liep naar de eerste etage. De baby-afdeling. Overal pastelkleurige kleding in miniformaat, het ene nog kleiner dan het andere. Ik kon me niet voorstellen dat er over ruim zes maanden een kleine Tycho of Faye in een van die pakjes zou worden gehesen.

In een van de bakken vond ik een mutsje, lichtblauw met zacht vanillegeel. 'Goed, daar gaan we dan,' zei ik, en liep ermee naar de caissière.

'*Che bravo papá!*' riep ze toen ik bij haar afrekende.

Het was op de enige plek in de zon op het schaduwrijke plein voor de Basilica di San Carlo al Corso met zijn groene koepeldak, hartje Milaan, dat ik besloot om mijn reputatie als kinderhater voor eens en altijd te keren. Ik had mij er helemaal voor geïnstalleerd, achter een espresso aan een van de tafeltjes op mijn vaste stek bij café San Carlo, aan een inham van de drukbelopen winkelstraat Corso Vittorio Emanuele II.

De ochtendzon was heet, mijn voorhoofd bezweet. Ik pakte mijn iPhone van tafel en typte het bericht dat ik ging sms'en aan Gregor, mijn collega's, mijn buren Xavier en Ursula, een aantal zakelijke relaties, werkster Lilian en, als ik haar nummer zou hebben gehad, desnoods ook aan Diana Krall.

Dinsdag 10:55 uur
Fantastisch nieuws: Faye is ruim tien weken zwanger! (Ja, van mij! ☺). Alles gaat goed. We zijn trots, dankbaar en blij! Uitgerekend op 16 november. X Tycho & Faye

48

Ik zegde mijn huur op in de Kerkstraat, en schreef mij officieel in bij Faye en Luuk in Amstelveen. De kleine drieduizend euro die dat per maand scheelde, konden we straks goed gebruiken. Al was het maar voor luiers, die goud geld schenen te kosten. Luiers. Af en toe moest ik echt in mijn arm knijpen.

Er moest nóg een knoop worden doorgehakt. Een die mij tegenstond: ik moest de Alfa inruilen. De coupé was ongeschikt als gezinsauto, had Faye gevonnist.

Mijn Alfa was heilig. Dat wist ze!

'*Come again?*' zei ik dreigend. 'Heb je weer last van je hormonen?'

'Hoe zie je dat straks voor je: een babyzitje op jouw achterbank?' zei Faye streng, totaal niet gevoelig voor mijn protest. 'In de Mini past dat nooit. Ik heb een auto van de zaak. Die kan ik niet, zo hup, even inwisselen voor een andere.'

Ik moest toegeven: achter in de Alfa was hooguit plek voor twee à drie mensen zonder onderbenen. Ik zuchtte en zei op zoek te gaan naar een saaie familiebak.

Bij mijn dealer vond ik een Alfa Romeo 159 2.2 JTS Distinctive. Een sedan in parelmoerzwart, met een diepe bagageruimte en een in twee delen neerklapbare achterbank met ruimte voor wel drie babyzitjes.

Ik reed met vijfenzeventig paardenkrachten minder voorgoed mijn oude leven uit.

49

'Mam, niet schrikken, maar ons kind heeft een hazenlip,' zei ik, terwijl ik de patiotuin van mijn moeder in liep. Ze zat op een krukje een rozenstruik te snoeien.

'Wat zeg je nou? Een hazenlip? Dat zal toch niet?' zei ze, terwijl ze zich omdraaide en opkeek.

Ik wapperde met de echo. 'Het bewijs! We zijn vanochtend bij de gynaecoloog geweest. Wil je het zien?'

Ze pakte de foto aan. 'Je maakt een grap, mag ik hopen?'

'Was het maar zo, mam. Het is overduidelijk. Faye neemt het uiteraard niet serieus. Ze zegt dat ik doorsla. Maar ik zie wat ik zie.'

Mijn moeder legde haar snoeischaar op de grond en vroeg mij haar even te ondersteunen bij het omhoogkomen. Ze liep naar de terrastafel waar ze een rieten stoel naar achteren schoof, en ging onder de parasol uit de zon zitten.

'Pak je mijn leesbril even uit de keuken? En schenk meteen wat thee voor ons in, die staat te trekken.'

Toen ik terugkwam, schoof ik een stoel pal naast die van haar. Ze zette haar leesbril op en bestudeerde de echo.

'Goed. Waar moet ik kijken?' Mijn moeder wees naar een beentje. 'Is dit het hoofdje? Waar is die hazenlip dan?'

Ik griste de echo uit haar hand en tikte met mijn wijsvinger op een wit bolletje in de donkere foto. 'Hier. Dit is het gezicht, van voren gezien. Ja? De neus, hier de ogen, dit is de mond. En die rare spleet hier, dat kan toch niets anders zijn dan een hazenlip? Zo zien hazenlippen eruit. Ik zag het toen ik de echo thuis onder het licht hield. Schisis is de medische term. Een op de zevenhonderd kinderen heeft het. Hebben wij weer. Mam, je ziet er de meest vreselijke foto's van. Er is dus gewoon een heel stuk bot dat in je gezicht ontbreekt, hè. Ze moeten dat een paar keer opereren voordat het er een beetje fatsoenlijk uitziet.'

Ik nam een slok thee. Rooibos. Smerig spul. Ik zette het glas weer op tafel.

'Maar ik schakel de beste artsen in. Wat het kost, kost het: mijn kind krijgt de mooiste hazenlip ter wereld!'

Mijn moeder hield de echo vlak bij haar gezicht.

'Zou het een wrede les van de natuur zijn omdat ik kinderen altijd heb verafschuwd en regelmatig heb getwijfeld of ik dit kind wel echt wilde? Dat juist ik daarom een kind met een hazenlip krijg?' zei ik.

Mijn moeder keek mij met een spottende grijns aan.

'Wat?' zei ik.

'Tycho! Wat zit je jezelf toch wijs te maken? Je fantasie is echt onbegrensd!'

Ze lachte. 'Je lijkt je nicht Sabine wel. Toen die zwanger was, was ze er honderd procent van overtuigd dat ze een kind met Down kreeg. Er was geen enkele reden voor, ze was nog niet eens dertig, maar ze wist het zeker. Overal waar ze kwam, schoten volgens haar uit alle hoeken en gaten mongooltjes tevoorschijn. Ze zei dat er een keer bij het tuincentrum zelfs eentje uit het niets voor haar auto sprong – ze kon hem maar net ontwijken. Ze wist zeker: dit waren signalen, ze kreeg een mongooltje. Nou, er is toch vrij weinig mis met Rick. Een zalig joch is het.'

Mijn moeder pakte mijn arm. 'Tycho, voor zover ík het met mijn belabberde ogen hierop kan zien, schort er niets aan jullie baby. Je maakt je veel te druk, om niets.'

Toen ik niet veel later naar huis reed, belde ik Faye. 'Ik ben net bij mijn moeder geweest. Zij denkt dat het niets is, die hazenlip.'

Faye schoot in de lach. 'Man, ben je nou nog steeds met die flauwekul bezig? Dat zei ik toch al.'

Ik gromde.

'Maar even hè, als het nou wel zo is, die hazenlip,' zei Faye. 'Dan kan ons kind altijd nog cabaretier of acteur worden. Hoe heette die kerel in *Medisch Centrum West*, die het altijd over "fufter Reini" had?'

Tegelijkertijd hoorde ik een sms binnenkomen op mijn iPhone.

Zaterdag 15:24 uur
Zijn er ook hazen met een mensenlip? Misschien leuk om uit te zoeken. Grapje. Geen zorgen schat! Liefs mam

50

WEEK 11

Je nagels gaan groeien en je krijgt ellebogen en knieën. Je geslachts-orgaan heeft zich inmiddels gevormd, dus of je mijn zoon of dochter wordt, is nu bekend. Je hart slaat honderdveertig slagen per minuut en je ontwikkelt twintig melktanden. Vanaf volgende week ben je officieel een foetus, wat nageslacht betekent. Je bent vijfenhalve cen-timeter en weegt tien gram. Je hoofd is even groot als de rest van je lichaam, maar dat komt goed. Je vingers en tenen zitten er allemaal aan. Je hebt nu ook geleerd te slikken en te plassen.

51

Maandag 04:17 uur

Hé lekker ding! Sorry dat ik nu pas reageer. Lange stop in Taipei en Manilla. Tien dagen weg en amper bereik. Gefeli! Je krijgt de groeten van wat meiden uit mijn crew (en een steward, hihi), ze kennen je foto uit je blad. We willen een keer met jou gaan stappen. Lachen toch! We bellen! Big kiss Zen.

52

Precies in de week dat Tinus – zoals Faye en ik onze nog aanstaande Valentijn of Valentine gemakshalve zolang noemden – volgens de zwangerschapsagenda kon fronsen en glimlachen, kreeg mijn vader een koninklijke onderscheiding: hij werd Ridder in de Orde van Oranje-Nassau.

Mijn halfbroer Diederik had het lintje met zijn vriendin Fien aangevraagd, op basis van de jarenlange pro Deo bestuurlijke inzet van mijn pa voor goede doelen naast zijn toen nog drukke eigen werk. Als er een Gooise asielzoeker met spoed naar een arts moest, regelde mijn vader dat binnen vijf minuten via zijn old boys network, en het organiseren van een gala ten bate van onderzoek naar een ongeneeslijke ziekte of een met sluiting bedreigd museum was een kolfje naar zijn hand. Hoewel hij al met pensioen was, zat hij met zijn commissariaten nog altijd als een spin in het web.

Mijn vader was Oranjeklant. Hoewel niet kritiekloos; hij vond het nog altijd 'teleurstellend' dat de familie in het prille begin van de Tweede Wereldoorlog met 'de snelheid van het licht' het vaderland had verlaten. Maar, vooral als hij wat pilsjes op had, riep hij bij alles wat hem kon bekoren luid 'Leve de koningin!' al betrof het slechts een geslaagde soufflé van Constance.

Vooral voor Wilhelmina en Bernhard had hij een zwak. Mijn vader verhaalde dan ook geregeld met verve over een van de hockeysticks uit zijn collectie, een exemplaar uit de jaren twintig dat gefigureerd had in *Soldaat van Oranje*. We hadden de scène in de studentenkamer aan het Rapenburg in Leiden, waarin met deze stick op de vloer werd gebonkt om een natte bestelling door te geven aan hospita Greetje, ontelbare keren stilgezet.

We stonden mijn vader op te wachten in het moderne gemeentehuis van Bussum. Constance had mij de dag ervoor verteld dat hij helemaal niets vermoedde.

'Ik heb hem wijsgemaakt dat er een belangrijke voorlichtingsbijeenkomst is over het kappen van twintig esdoorns in Het Spiegel, sommige al meer dan tweehonderd jaar oud. Je vader hoorde dat voor het eerst. Hij was woest! "Dat zullen we te allen tijde verhinderen!" riep hij. Ik kon mijn lachen amper inhouden.'

Tien minuten voor aanvang van de ceremonie, kwamen mijn vader en Constance binnenlopen. Vanachter een manshoge yucca in de hal, waar mijn halfbroer en ik met Faye en Fien verdekt stonden opgesteld, herkende ik het kordate loopje van mijn vader, wanneer hij strijdlustig naar iets op weg was. Ik had hem vroeger weleens zo het hockeyveld op zien komen tijdens een uitwedstrijd van mij, toen de scheidsrechter ons team voortdurend had benadeeld. Hij had de scheids voor 'kaffer' uitgemaakt en ik had mij de rest van de wedstrijd kapot geschaamd.

Toen mijn vader ons genaderd was, zogenaamd op weg naar de vergaderzaal, kwamen wij achter de yucca vandaan. Hij zag ons, keek naar Constance, keek weer naar ons, trok een vragend gezicht, en realiseerde zich toen kennelijk dat onze aanwezigheid niets te maken had met een stel bedreigde oude bomen.

'Is dit wat ik denk dat het is, jongens?' vroeg hij, terwijl hij ons omhelsde. Hij pakte blij verrast de hand van Constance.

Daar stond een trotse man, eenenzeventig jaar, echtgenoot, vader, eind dit jaar grootvader, zijn gezin toe te glunderen. Geroerd pakte ik de hand van Faye.

De burgemeester hield een geestige speech met treffende anekdotes over mijn pa, en verzekerde hem dat er, zolang hij in functie was, geen enkele antieke esdoorn in Het Spiegel zou sneuvelen. Vervolgens kreeg hij de onderscheiding opgespeld, en werden nog vijf andere inwoners van Bussum gehuldigd met een lintje.

Constance had thuis een tuinfeest georganiseerd, waar het gehele bestand uit de telefoonklapper van mijn vader voor was uitgenodigd. Een kwartet in jacquet speelde jazz, en wat Gooise cateringstudenten met schorre stemmen serveerden hors-d'oeuvres en drankjes.

Mijn vader verhief zijn stem en riep: 'Hallo lieve mensen, mag Ridder Ittervoort even jullie aandacht? Toen ik deze zonnige ochtend, nietsvermoedend van al wat komen ging, scherp als een slagersmes op weg was naar een zogenaamde raadsvergadering over eeuwenoude esdoorns die een stel gemeenteprutsers hier om zeep wilden helpen volgens mijn Stansje, was ik volkomen overvallen toen dat addergebroed dat hier nu voor mij staat, Tycho en Diederik, mij er samen met Stans volledig ingeluisd hadden! Het leek wel dat programma... Ja, precies, *Bananasplit*, dat bedoelde ik. Op deze koninklijke onderscheiding had ik niet gerekend, zeker niet omdat Tycho nog weleens kritisch over de Oranjes bericht.

Maar even los van alle gekheid, mensen: mijn lintje is echt machtig! Maar weten jullie wat mij het meest aangreep vandaag? Dat mijn jongens, allebei zo verschillend, hun eigen weg in het leven kiezend, samen met onze Faye en Fien, op wie ik reuze gesteld ben, daar stonden. Dat doet een vaderhart goed.

Zoals de meesten van jullie weten, is Faye in verwachting en krijgt Tycho zijn eerste kind, wat ook wel tijd werd, mensen. Mijn eerste kleinkind!

Het heeft even geduurd bij Tycho, en we zagen het soms wat somber in. Hij wilde champagne drinken met de jetset en wat knaken bij elkaar verdienen voor hij zich wilde settelen. Dat is hem goed gelukt. Chapeau!

Máár: dat is niet waar het werkelijk om gaat in het leven. Dat is je gezin. Je thuisfront. Je achterban. Gelukkig kwam Faye tijdig op zijn pad. Zij maakt hem vader, en ik richt mij nu even tot jou, Tycho. Mijn oudste. Ik gun jou een vaderschap waarbij je, en laat mijn lintje daar het symbool van zijn, een band van staal zult krijgen met je zoon of dochter.

Laat ik echter eens openlijk toegeven dat ik als vader vaak tekortgeschoten ben. Het carrière maken nam mij volledig in beslag. Hoewel we daar als gezin de vruchten van plukten, en dat nog steeds doen, ben ik er weinig, te weinig, voor mijn thuisfront geweest. Nee, het is zo! Dat realiseer ik mij, als ouwe vos, en ik zal er alles aan doen om dan maar vooral een goede grootvader te zijn, nu de jongens volwassen zijn. Tycho en later Diederik kunnen het als vader beter doen dan ik.

Tycho, het vaderschap tilt je naar een hoger niveau. Dat van de onvoorwaardelijke liefde en de voortzetting van het leven. Je knipt in november de navelstreng van je kind door, maar jullie band zal onverbrekelijk en blijvend zijn.

Ik breng een toost uit op jullie allen maar bovenal op Tycho als vader. Dank jullie wel en proost! Muziek!'

53

WEEK 16

Je kunt al glimlachen. Soms spring je op en neer in mama's buik, je buigt en kronkelt, en rekt jezelf uit. Ook stop je soms je duim in je mond. Je hebt stembanden, vingerafdrukken, haar op je hoofd en zelfs wenkbrauwen en wimpers – misschien wel van die mooie lange als mama. Je bent vijftien centimeter groot en weegt honderdvijftig gram.

54

De kans op een mongooltje was op Faye's leeftijd – ze was veertig – één op vijfentachtig. De kans dat een vruchtwaterpunctie, waarmee Down en andere afwijkingen bijna honderd procent vast te stellen waren, een miskraam veroorzaakte, was één op driehonderddertig, ofwel bijna vier keer zo klein.

'Ons kind is een gelukskind. Ik heb er zó naar verlangd. En voor jou zal het waarschijnlijk je enige kind worden. Moeten we dan de kans op een afwijking accepteren?' vroeg Faye, toen we er op een avond over spraken.

De vraag stellen, is hem beantwoorden, vond ik. 'Ik denk dat we, heel egoïstisch dan maar, Down of iets anders moeten uitsluiten.'

Dat moest in het VUmc, ons eigen ziekenhuis deed geen puncties. Er werd een afspraak voor een intakegesprek ingepland; een paar dagen later was de punctie zelf, in de zestiende week.

Bij de intake was ons uitgelegd wat de vruchtwaterpunctie inhield. 'Met een dunne naald wordt wat vruchtwater uit de baarmoeder gezogen. Dat gebeurt zonder verdoving. U voelt hooguit een hinderlijk prikje. Daarna wordt het vruchtwater onderzocht op alle zesenveertig chromosomen, onder meer op het syndroom van Down en DNA- en stofwisselingsafwijkingen. Die uitslag volgt na drie weken.'

'En als het niet goed is, vertelt u dat telefonisch?' vroeg Faye.

'Dan maken we een afspraak voor een gesprek. Als alles wel goed is, hoort u dat uiteraard meteen. U kunt ook aangeven of u het geslacht wilt weten, dan zal dat bij het onderzoek aangevraagd worden. U kunt ook het nummer van iemand anders doorgeven, als u eventueel vervelend nieuws liever van een bekende hoort.'

Ik gaf mijn mobiele nummer.

In de behandelkamer stond een team van drie vrouwen in groene kleding gereed. De wat oudere arts stelde zich voor als degene die de punctie zou uitvoeren, haar collega's bleken assistenten.

Faye moest in haar slip plaatsnemen op de behandeltafel, waar ze een blauw laken met een vierkant gat erin op haar buik gelegd kreeg.

'Met het echoapparaat scannen we zo waar uw kindje zich precies bevindt in de baarmoeder, zodat we met de naald uit de buurt kunnen blijven. Dan prik ik u terwijl mijn collega op de echo blijft kijken of alles prettig verloopt. Het is zo gepiept; binnen tien minuten kunt u zich weer aankleden.'

'Als het allemaal zo eenvoudig is, hoe komt het dan dat er toch een risico is dat de punctie een miskraam veroorzaakt?' vroeg ik.

De arts keek mij aan. 'Ja, u bent journalist natuurlijk. Ik zag het op het intakeformulier staan.'

'Als ik warme bakker was geweest, had ik het vast ook gevraagd. Ik ben gewoon benieuwd,' zei ik op mijn diplomatiekst – ze moest Faye nog prikken.

Ze richtte zich tot Faye. 'Het prikken kan een infectie in de baarmoeder veroorzaken of lekkage, waarna er vruchtwater door de buikwand kan wegsijpelen. Mocht u de komende vier dagen ineens koorts krijgen of op een andere manier niet lekker worden, of u voelt letterlijk iets van nattigheid, dan moet u ons meteen bellen.

'Bent u er klaar voor? Dan zetten we nu de echo op uw buik en ga ik u prikken.'

De hartslag van de baby was duidelijk te horen toen het echoapparaat over de buik van Faye heen en weer werd geschoven. Tegelijkertijd duwde de arts de naald langzaam door Faye's buikwand heen.

'Doet het pijn?' vroeg ik.

'Het prikt een beetje, meer niet inderdaad. Ik wil nu liever niet praten, liefje.'

Op de monitor aan het plafond was te zien hoe de naald ter hoogte van de beentjes de baarmoeder binnenkwam. De baby was er kennelijk niet van gediend, want die greep met een arm naar de naald.

'Hé, zag je dat?' riep ik tegen Faye, die zich stokstijf hield op de tafel.

De arts lachte mee. 'Het is een bijdehandje.'

'Is dat niet gevaarlijk? Die naald is vlijmscherp.'

'Dat zit wel goed. Maakt u zich geen zorgen.'

Omdat Faye de rest van de dag rustig aan moest doen en niets zwaars mocht tillen of trappen op of af mocht, gingen we naar mijn moeder, die gelijkvloers woonde.

Terwijl Faye op bed tv lag te kijken, keek ik op Google of het kwaad kon als een foetus naar een naald greep. Ik vertrouwde het niet. Wie weet welke schade die naald in de ledematen van Tinus had aangericht.

Op het internet vond ik niets. Misschien kon ik beter even op het forum kijken. Maar ook daar vond ik geen enkel antwoord.

Toen we aan het eind van de middag naar huis wilden gaan, vroeg mijn moeder of we even wilden meelopen naar de garage.

Daar ging ze ons voor naar het achterste gedeelte waar de barbecue stond. Onder een zwart-rode plaid stond een voorwerp van ongeveer een meter hoog opgesteld. Mijn moeder trok de plaid ervan af. Er kwam een wieg onder vandaan.

'Deze wieg is ruim honderd jaar oud,' zei ze. 'Mijn moeder heeft erin gelegen, ik, en jij, al zal je je dat niet kunnen herinneren. Hij is van mahoniehout, de opzethemel heb ik eventueel ook nog, apart in een doos. Je overgrootvader heeft hem laten maken toen mijn moeder op komst was. Ik heb hem altijd bewaard.'

Ze glimlachte. 'Lange tijd heb ik mij afgevraagd voor wie. De kans dat jij hem zou gaan gebruiken, achtte ik verwaarloosbaar, gezien hoe je altijd over kinderen sprak. Dat vond ik jammer, maar het was nou eenmaal niet anders. Toen jullie mij vertelden dat jullie een kind verwachten, moest ik meteen aan deze wieg denken. Ik heb hem door mijn tuinman achter die stapel daar laten wegtillen, en hem helemaal laten opschuren en lakken. Hij is weer als nieuw, ook al is ie antiek.'

Ze slikte iets weg, en zei toen: 'Jullie zouden mij geen groter plezier kunnen doen dan deze wieg te willen accepteren als mijn welkom aan jullie aanstaande kind, mijn eerste kleinkind, om wie ik nu al zo ontzettend veel geef. Ik weet zeker dat als jullie zoon of dochter in deze wieg zijn of haar eerste tijd doorbrengt, hij of zij jullie evenveel geluk en liefde zal geven als jij mij gebracht hebt, lieve Tycho. Ik weet dat ik het niet vaak zeg, maar ik hou van je. En ook van jou, liefste Faye. Willen jullie de wieg van mij aannemen?'

Natuurlijk deden we dat, nadat ik zowel Faye als mijn moeder voorzien had van alle tissues die in huis te vinden waren. Zelf had ik ook wel even een dikke strot.

55

Je kunt slikken en zuigen. Ook kunnen luide geluiden je irriteren, dus als mama weer eens die vreselijke cd van The Carpenters hard draait als ik er niet ben: sorry. Deze week ben je twintig centimeter en weeg je tweehonderd gram. Je bent een heus minimensje, met alles erop en eraan. Vanaf nu hoef je alleen maar groter te groeien tot je geboren wordt.

56

Het was veertien dagen na de vruchtwaterpunctie. Normaal werd er een week later een controle-echo gemaakt, maar omdat we de echo van vanochtend reeds in de agenda hadden staan, konden we daarop wachten. Het was druk en warm op de poli Gynaecologie en Verloskunde. Faye wapperde zichzelf in het gezicht met een boekje dat op tafel had gelegen. *Bevallen in het ziekenhuis*, stond erop.

'Ik snap niet dat er mensen zijn die thuis bevallen,' zei ik. 'Er hoeft maar iets mis te gaan, en je kunt in blinde paniek met gierende banden naar de eerste hulp.'

Faye schoot in de lach. 'Gierende banden, blinde paniek. Túúrlijk, liefje. De gapende anale fissuren en rondvliegende moederkoeken ontbreken er nog aan.'

Een kogelronde vrouw die een blad voor moeders las, keek ons verstoord aan.

'Word jij ook zo?' fluisterde ik Faye in haar oor. 'Qua dikte? Wat een tank.'

Ik had zin in de echo. Om te zien hoe de baby gegroeid was en in de afdruk die we zouden krijgen. Ik moest mijn verzameling scannen, had iemand mij laatst getipt – die echo's schenen na verloop van tijd te vergaan. Meteen maar even doen, straks.

De deur van Rombouts ging open. De babymompelaar stak zijn chagrijnige tronie naar buiten, riep 'mevrouw Clark' en was weer verdwenen. Faye stak het boekje in haar handtas.

We namen plaats aan het bureau. Het rook bedompt in de kamer. Rombouts vroeg hoe de punctie verlopen was, en of er klachten waren, of veranderingen.

'Volgens mij niet,' zei Faye. 'Ik heb geen lekkage gehad.'

'Zo. Dan gaan we maar eens kijken,' zei Rombouts.

Faye kleedde zich uit en ging op de behandeltafel liggen. Rombouts pakte het echoapparaat, mompelde iets, deed gel op haar buik en plaatste het ding erop.

Dat was altijd het moment dat het geluid van het kloppende hartje van Tinus te horen was.

Dat was nu niet zo. Het was stil. En het bleef stil. Faye en ik keken elkaar aan.

'Is dat ding kapot?' vroeg ik.

De gynaecoloog kuchte en bromde iets, ging weer over Faye's buik heen met het echoapparaat. Hij kneep zijn ogen samen en mompelde ten slotte: 'Ik denk dat het niet goed is.'

'Hoe bedoelt u, niet goed? Wat is niet goed?' zei ik. Mijn stem sloeg over.

Faye was lijkbleek. 'De baby,' zei ze, nauwelijks hoorbaar.

'Wát is er niet goed?' riep ik nogmaals naar Rombouts.

Die schraapte zijn keel en krabde zich boven zijn wenkbrauw.

'Er is geen hartactiviteit,' zei Rombouts. Hij stond er onbeholpen bij, en zei dat hij een collega ging halen.

Ik werd duizelig. Voelde me licht worden. Het koude zweet brak me uit. Hyperventilatie – ik had het weleens eerder gehad. Bang om neer te gaan, ging ik op de vloer zitten, tegen de muur aan. Ik haalde adem naar mijn buik en blies die langdurig uit. Faye keek mij aan, maar leek op een andere planeet te verblijven.

De gynaecoloog en een andere witte jas kwamen binnen snellen. Rombouts vroeg of het ging toen hij me zwetend op de grond zag zitten.

'Ja, dat komt wel goed. Ga liever ons kind redden. Wordt het gereanimeerd?'

Rombouts reageerde niet.

'Wat is het plan?' vroeg ik.

Faye, die apathisch op de behandeltafel lag, kreeg een tweede echo. De andere arts keek aandachtig mee.

Ze draaiden uiteindelijk de monitor naar ons toe. Je kon duidelijk zien dat de baby in een onnatuurlijke houding op zijn rug lag, met de kin op de borst. Er was geen enkele beweging, geen enkel geluid.

'Reanimeren werkt niet bij een foetus. Het spijt me verschrikkelijk, maar ik kan niets meer voor u doen,' zei Rombouts.

57

Het glibberige goedje dat Rombouts zwijgend van de buik van Faye veegde, deed mij denken aan glijmiddel. De cardiologe-in-opleiding met wie ik een tijdje nog best serieus was geweest, verscheen op mijn netvlies. Die had het een keer anaal willen proberen. Gewoon voor de gein. Ik was geen liefhebber, maar ik gaf er na een avond met de nodige drank aan toe. Het was nog een heel gepiel. Ze was veel te nauw en het kostte mij nogal wat likken vaseline om er een paar centimeter in te komen. Het deed pijn, en niet alleen bij haar.

Hoe zou het met haar zijn? Had ze die drie zoons al? Ze zou vast geen moeite hebben ze op de wereld te zetten, waarschijnlijk met amper een jaar ertussen. Drie van die eigenwijze, blonde, kakkineuze jochies, vast één gezicht met hun moeder.

Het ging gewoon niet lukken met Faye. Eerst die miskraam, nu dit weer. Ik had me verdomme net een klein beetje ingesteld op het vaderschap. Was Faye wel in staat mijn kind ter wereld te brengen?

'Liefje?' wekte Faye mij wakker uit mijn gedachten. Ze stond aange-kleed voor me, ik zat nog steeds op het linoleum tegen de muur aan. 'We moeten gaan.'

58

Rombouts schatte in dat de baby al ruim een week geleden overleden was, vertelde hij ons aan zijn bureau.

'Het moet dus na de punctie gebeurd zijn. Daar klopte het hartje nog,' zei ik, terwijl ik mij steeds meer realiseerde wat ons overkomen was. 'Hoe kan zoiets?'

'Lastig te zeggen. De kans op een miskraam of doodgeboorte is altijd aanwezig na een punctie. Dat zal u zeker verteld zijn in het intakegesprek.'

'Ruim een op de driehonderd,' zei Faye bedrukt. 'En dat zijn wij dan weer.'

'Ze hebben erin lopen prikken,' zei ik. 'Het is gewoon om zeep geholpen. Met dat domme gelach van ze, dat het zo'n bijdehandje was.'

'Ik kan u verzekeren dat zoiets niet voorkomt. De artsen die dat uitvoeren zijn professionals die dag in dag uit puncties verrichten,' zei Rombouts.

Die artsen hielden elkaar allemaal de hand boven het hoofd bij medische missers, dat had ik al vaker gehoord.

'Wat gaan we doen?' vroeg ik.

Rombouts vertelde dat er twee mogelijkheden waren. 'Of we wachten tot de bevalling spontaan op gang komt. Het lichaam gaat de dode vrucht afstoten, maar dat kan soms een paar weken duren. Of we gaan de bevalling inleiden. Daarvoor kunt u een afspraak maken. Dat hoeft niet onmiddellijk, u kunt daar een geschikt moment voor uitkiezen.'

'O, nee. Ik ga niet met een dood kind rondlopen. Het moet eruit!' zei Faye. 'Kan dat via een keizersnee?'

'Medisch gezien is een onnodige operatie onverantwoord. Het is een serieuze ingreep met alle risico's van dien. Dat moet u niet onderschatten. Daarbij is mijn ervaring dat bevallen via de natuurlijke weg belangrijk is voor het rouwproces. De doodgeboorte wordt concreet beleefd, niet iets wat u vaag overkomt. Sommige moeders houden er een sterkere band met hun kind aan over, ze voelen dat ze iets voor hun overleden kind gedaan hebben,' zei Rombouts.

'Onbegrijpelijk,' zei ik, en keek naar Faye. 'Welke freak verzint zulke onzin?'

Ook Faye was nu geïrriteerd. 'Dus ik moet nog pijn lijden ook? Mijn kind is dood, en vervolgens moet ik gewoon maar die hele bevalling doorstaan?'

Rombouts verzekerde haar dat er afdoende pijnbestrijding zou zijn. Hij keek vluchtig op zijn horloge, een Longines met een leren band, geen duur model.

'Ik moet helaas verder, de wachtkamer zit vol,' zei hij.

'Dat interesseert me geen reet,' zei ik. 'Die mensen krijgen een kind. Wij niet meer.'

'De assistente zal de opname met u in orde maken,' zei Rombouts. Hij stond op en gaf ons een hand. 'Ik had u graag beter nieuws willen brengen. Ik heb vanmiddag en vannacht geen dienst. Collega Van Zwol, een kundig arts, zal u bijstaan. Ik wens u het beste.'

Ik zei niets. Faye knikte.

De wachtkamer zat tjokvol. De mensen keken ons geërgerd aan.

'Ons kind is dood. Dus het duurde even. Sorry!' riep ik overdreven hard. Faye trok mij mee naar de assistente, die ons vanachter haar balie meelevend aankeek.

We moesten die middag om drie uur terug zijn. Er werden twee bedden geregeld.

Verslagen liepen we naar de betaalautomaat. Ik moest één euro zestig betalen.

59

'Wat nu?' zei ik in de auto.

Faye wilde naar mijn moeder. Ik eigenlijk ook wel. Ik toetste haar nummer in.

Ze nam vrolijk op. 'En? Hoe ging het? Weten jullie al wat het wordt?'

'De baby is dood,' zei ik vlak. 'Ze gaan vanmiddag de bevalling inleiden. We weten niet hoe het komt. Alleen dat ie dood is. We komen even langs, oké?'

Faye begon ontzettend te huilen, uit haar tenen. Het autoraam besloeg ervan.

'O, lieverds toch. Kom maar gauw,' zei mijn moeder.

Toen we mijn moeders straat in reden, stond de voordeur al open. In de hal stond ze ons verschrikt op te wachten. Nadat ik de deur achter mij had dichtgedaan, viel ze ons in de armen. Faye barstte weer in huilen uit. Mijn moeder streelde haar.

'Tycho, gaat het?' vroeg ze, terwijl ze met haar andere arm mijn hand pakte.

'Ik ben heel boos, mam!' zei ik. 'Waarom is het wéér niet gelukt?'

'Hoe bedoel je, weer?' vroeg mijn moeder.

Ik zweeg.

'We hebben ook al een keer een miskraam gehad,' schokschouderde Faye. Ze veegde tranen van haar wangen. 'Dat hebben we verder aan niemand verteld, we waren toen helemaal niet bezig met zwanger worden, en we gingen ervan uit dat het ook niet meer zou gebeuren.' Ze haalde haar neus op. 'Waarom ben je zo boos, Tycho? Wat is er?' vroeg ze.

'Wat er is? Elke zwakzinnige in dit land baart een slag in de rondte en wij zijn nu voor de tweede keer de pineut. Hoe kan dat, verdomme! Hebben die gasten van de punctie het verkloot? Heeft die Rombouts met zijn zure mompelbek wel goed opgelet bij die echo's die we tussendoor gehad hebben? Heb ik hem daar óóit horen zeggen dat ons kind raar deed in de baarmoeder? Nou?'

Ik haalde adem. Toen zei ik: 'Is die baarmoeder van jou überhaupt oké?'

Vijf seconden later smeet iemand de voordeur keihard dicht. Het was Faye.

Een dood kind: wie verzint zoiets. Op een gewone dinsdagochtend. Wat banaal. Echt, iemand ging hier voor boeten.

Ik liep de huiskamer in. Mijn moeder zat op de gebloemde chesterfieldbank.

'Ben je nu rustig?' vroeg ze.

'Het gaat wel weer. Ik ga maar even wat mensen bellen.'

In een soort trance belde ik mijn vader, Ingmar, Ralph en mijn hoofdredacteur. Ieder reageerde geschokt op zijn eigen wijze. Ze hadden er geen woorden voor.

60

Toen Faye was teruggekomen, vroeg ze mij thuis wat spullen te gaan halen. Wat schone slipjes, haar badjas, kleren voor de volgende dag, haar telefoonoplader en misschien wat tijdschriften. Zij zou in de tussentijd Jens bellen om het hem Luuk te laten vertellen, en haar vader en vriendinnen informeren. Mijn moeder ging brood smeren.

Toen ik thuiskwam, stond er een gebutste goudkleurige Mercedes achter Faye's Mini.

Kut. Dinsdag. Valesca was er. Compleet vergeten. Ik zag haar boven, ze lapte ons slaapkamerraam. Ze stak haar duim op.

Zuchtend opende ik de voordeur. Van boven klonk een fantasie-kreet. Ik sjokte naar de tweede verdieping.

Valesca stond op een trap restvegen van haar wisser weg te wrij-ven met een zeem. 'Heu, Tycho! Allesj koed? En die Faye? En die béébie?' Valesca tuitte haar mond en slaakte enkele kreten van ver-rukking. Er kwam speeksel in haar mondhoeken.

Ik kuchte. 'Eh, het is niet zo goed. We hebben nét gehoord dat de baby in de buik is overleden. Faye moet straks bevallen in het zieken-huis. Ik kom even wat spullen halen.'

'Jáá, die béébie. Sjóó líef! En die Faye! Isj koed?' zei ze, terwijl ze haar spons in de emmer op de vensterbank doopte en uitkneep.

Ik zuchtte diep. 'Valesca: de baby is dood. Dóód. Begrijp je? Het móét nog geboren worden. De baby is overleden!' articuleerde ik overdreven.

'O! Keboren? Jáá? Die béébie?' Valesca wiegde een denkbeeldige baby in haar armen, wankelend op de keukentrap. 'Ik heb cadeau voor die Faye! Volgende week. O, die béébie. Sjo lief! Iek wil ook een béébie.'

Ik was er klaar mee. 'Verdomme Valesca! De baby is dood! DOOD! Er ís geen baby meer! *Kaputt!*'

De werkster deinsde achteruit, en greep zich vast aan de boven-kant van de keukentrap. 'Tycho, wat iesj? Boosj?'

Ik haalde diep adem. 'Hoe moeilijk is het, debiel,' zei ik binnens-monds.

'Huh?' vroeg Valesca.

'Niks. Maak verdomme dat huis nou maar schoon!'

Ze keek of ze niet wist of ze verbaasd of beledigd moest zijn, en ging vervolgens overdreven hard het raam inzepen, waarbij ze iets in het Pools zei.

Ik zocht de spullen van Faye bij elkaar en trok de deur achter me dicht.

61

Dat het leven gewoon doorging, maakte mij ziedend. We reden bij mijn moeder weg en de mensen op straat waren geanimeerd in gesprek, lachten met elkaar. Pubers probeerden elkaar fietsend een plantsoen in te duwen. Een meisje met *ear phones* in stak zonder te kijken de weg over en werd bijna geschept. Niemand van hen besefte dat Faye een dood kind in haar buik droeg.

'Hoe voel je je?' vroeg ik Faye naast mij.

'Wat denk je zelf?'

'Niet goed.'

'Precies,' zei Faye.

Ze keek naar buiten. Iets voor ons fietste een vrouw met een kind. De beentjes van de kleuter maalden driftig rond, het fietsje zwenkte. Ik ging langzamer rijden.

'Ik vind het heel erg,' zei ik. 'En dat je moet bevallen van een dood kind, is misdadig en middeleeuws. Maar ik probeer ook een lichtpuntje te zien. Want...'

'Een lichtpuntje?' onderbrak Faye me.

'Daarmee bedoel ik dat bewezen is dat we een kind kunnen krijgen samen. Het is nu misgegaan. Maar het is niet zo dat we een zoon of dochter van elf verloren hebben. Of Luuk, bijvoorbeeld. Dit kind hebben we nog nooit gezien, we hebben het niet levend meegemaakt...'

'O, dus dan is het niet zo'n ramp, bedoel je? We maken gewoon een nieuwe?'

'Zo boud zeg ik het niet. Maar misschien is dat wel wat ik uiteindelijk bedoel. We hebben nu immense pech gehad dat we bij die statistische 0,3 procent zaten. Maar de kans dat zoiets wéér zou gebeuren bij een volgende zwangerschap, lijkt mij volstrekt nihil.'

Faye zei niets.

De gynaecoloog die onze bevalling zou doen, stelde zich voor als Aleid van Zwol. Kille tante. Ik kende die types: als ze een ijsklontje in hun mond deden, smolt dat niet maar werd het groter. Rombouts had haar zeker over mij verteld. Hij vond mij natuurlijk een lastig sujet, vertel mij wat over die elitaire dokters.

'Dokter Rombouts heeft mij bij de overdracht met klem verzocht jullie met de best mogelijke zorg te omringen. Ik moest jullie nogmaals alle sterkte wensen van hem. Hij leeft erg met jullie mee,' zei Van Zwol met een sympathieke glimlach.

Misschien viel ze mee.

Van Zwol had glanzend, bruin haar, tot op haar schouders. Rode lippenstift, verder geen zichtbare make-up. Een stijlvolle vrouw, die ik in de kroeg zeker aangesproken zou hebben, al leek ze me iets ouder dan ik. Volgens mij had ze Chanel No.5 op.

'Ik kan mij voorstellen dat jullie vanmorgen volkomen overrompeld waren. Toch is niet gezegd dat het door de punctie gekomen is. De oorzaak van de dood zoals bij jullie baby kan verschillende oorzaken hebben. Vaak is het helaas niet eens te achterhalen.'

Ze legde uit dat er jaarlijks tussen de dertienhonderd en vijftienhonderd baby's tussen de zestiende en laatste week van de zwangerschap stierven – gemiddeld zo'n vier per dag. 'Het gebeurt gewoon, en het is niet te voorkomen.'

Van Zwol vertelde dat ze de bevalling zou inleiden zodra we op onze kamer geïnstalleerd waren. Mocht het nachtwerk worden, dan werd ze wakker gemaakt, want ze sliep tot de volgende ochtend hier in het ziekenhuis voor spoedgevallen.

We kregen een tweede echo. Daarop was andermaal te zien dat de baby dood was en er als een triest hoopje bij lag.

'Jullie kindje zal kleiner zijn dan je verwacht. Het zal gemacereerd zijn, dat betekent dat het verweekt is. De huid kan hebben losgelaten.'

Ze vroeg onze toestemming om de bevalling op te wekken met bepaalde vaginale tabletten. 'Dat heet Cytotec, een middel dat de baarmoedermond week maakt, zodat die open gaat staan en de weeen op gang komen. Het is nog geen geregistreerd middel, maar er is voldoende wetenschappelijk bewijs dat het effectief en veilig is.'

Ik vond het een opmerkelijke gang van zaken, maar ze zou vast weten wat ze deed. Faye knikte en ik zei 'oké'.

Het kon tot wel vierentwintig uur duren voordat de baby spontaan naar buiten zou komen. Faye zou pethidine toegediend krijgen, een ontspannende pijnstiller.

Van Zwol zei dat er pijnlijke contracties konden plaatsvinden, samentrekkingen van de baarmoeder. 'De baby leeft niet, maar de bevalling is feitelijk hetzelfde.'

'Moeten we het zien?' vroeg Faye. 'Straks is het mismaakt. Doodeng. Ik wil niet mijn leven lang dat beeld op mijn netvlies hebben, het is al gruwelijk genoeg.'

'Ik weet dat veel mensen in uw situatie achteraf blij zijn dat ze het gezien en vastgehouden hebben. Als ze zien dat het haartjes en nageltjes heeft, wordt het toch meteen een echt kindje. Ook als het zichtbare afwijkingen heeft, is het vaak minder eng dan verwacht. Zullen we anders afspreken dat ik tijdens de bevalling bekijk hoe het kindje eraan toe is? Als het meevalt, kunnen jullie ernaar kijken. En anders laat ik het wegbrengen. Oké?'

'Is goed,' zei Faye, gerustgesteld. Ik knikte.

Van Zwol pauzeerde kort. 'Wellicht heeft u er nog niet over nagedacht, maar gezien de onverwachte dood van uw kindje kan het bij de verwerking helpen als er obductie wordt gepleegd op het lichaampje. Een patholoog verricht dan sectie om de doodsoorzaak of afwijkingen te achterhalen. Daarna wordt het gehecht en kunt u het nog zien, als u dat wilt.'

Faye zou na de bevalling verder medicijnen mee krijgen om de melkproductie in haar borsten stil te leggen.

'Goed, dan zie ik jullie later,' zei Van Zwol.

Een verpleegkundige bracht ons naar de eerste verdieping. We kwamen langs een kiosk bij de trap, waar felgekleurde ballonnen en feestelijke cadeaus uitgestald stonden. Felicitatiekaarten, gebak, saucijzenbroodjes, een blauwe gasballon in de vorm van een babyvoet, met de tekst 'Hoera, het is een jongen!'

'Ze zullen niet veel aan ons verdienen,' zei ik.

62

Onze kamer bleek een verloskamer met dubbele deuren, ik nam aan om pijnkreten van bevallende vrouwen te dempen. Er was voor mij een bed bij gezet. Achter een deur bevonden zich een wastafel, douche en wc. Aan het plafond hing een kleine tv.

'We hebben weleens slechter overnacht,' zei ik tegen Faye, die de spullen uit haar tas op stapeltjes op een stoel en tafel voor het raam legde. Ze reageerde niet.

Er werd op de deur geklopt en er kwam een verpleegkundige binnen. Ze zei dat ze 'het een en ander' met ons moest doornemen 'over het bevallen van een levenloze vrucht'. Ze had een stencil in haar hand.

'Het is altijd vervelend om het op dit moment te bespreken, maar ik moet u de mogelijkheden voorleggen over wat u kunt doen met de foetus, na de bevalling.'

'Gaat u gang. Vervelender kan het volgens mij niet meer worden,' zuchtte ik.

'Mag ik gaan zitten?' vroeg ze, wijzend op een stoel tegen de muur, waar een sweater van Faye overheen hing. Ik haalde het ding weg, en schoof de stoel naar de verpleegkundige toe. Ze nam plaats en hield het stencil voor zich op schoot.

'Bij een foetus tot vierentwintig weken mag u zelf bepalen wat u ermee doet. U mag het begraven in uw tuin, maar uiteraard ook op een officiële begraafplaats, of cremeren. Maar dat is niet verplicht. U kunt het ook bij ons achterlaten als specifiek ziekenhuisafval,' zei ze.

'"Specifiek ziekenhuisafval" zegt u?' Ik schoot in de lach. 'We hoeven echt geen volgwagens en een koffiearrangement, maar mijn kind gaat niet in een biobak.'

Zelfs Faye schudde lachend haar hoofd. 'Echt niet,' zei ze.

De vrouw keek ongemakkelijk. 'Ik besef dat het afschuwelijk klinkt, maar ik moet het u vertellen. Er zijn mensen in uw situatie die niet weten wat ze met het kindje aan moeten.'

We lieten haar uitleggen dat specifiek ziekenhuisafval bestond uit menselijke organen, weefsels en ontledingsresten; anatomisch afval, zoals geamputeerde benen en armen. Dat werd op enig moment gezamenlijk verbrand in een oven.

Ik werd misselijk. 'Die van ons blijft gewoon hier,' zei ik.

63

Een verpleegkundige kwam binnen met het eerste vaginale tablet. Ze stelde zich voor als Nies. Een kleintje, met een meisjesachtig voorkomen. Ze had een West-Fries accent.

'Mijn dienst is net begonnen. Ik ga ervan uit dat ik bij de bevalling aanwezig ben, als die een beetje spoedig op gang komt. Ik zal er alles aan doen om het zo prettig mogelijk te laten verlopen. Het is enorm naar voor jullie,' zei ze.

Ik bedankte haar. Faye verdween met het tablet in de wc; ze wilde het liever zelf inbrengen. Nies ging weer weg.

Ik zapte wat op tv en bleef hangen in een Engelstalige soap waarin een grijze vrouw met een strak glimmend gezicht een man met vierkante kaken stijf schold.

Faye kwam weer binnen en ging ook op bed liggen. Ik keek naar haar.

'Hoe ging het?' vroeg ik, terwijl ik het geluid van de tv zachter zette.

'Ik heb dat tablet er maar gewoon zo ver mogelijk in geduwd. Die Nies zei dat het vanbinnen zou gaan schuimen.'

'Oké.'

'Esmée en Hedwig willen langskomen. Ik kreeg net een sms.'

'Nou, als het niet per se nodig is.'

'Waarom mogen ze niet komen?'

'Omdat ik er geen zin in heb. Die bevalling kan elk moment op gang komen. Ontspan je eens een keer.'

'Ik ontspan nu meer met mijn vriendinnen dan met jou.'

'O ja? Wat mankeert er aan mij?'

Faye haalde adem. 'Je ligt hier maar wat. Je praat niet. Je betrekt me niet bij waar je over nadenkt. Je vraagt alleen hoe het met me gaat. Ik voel me zwaar kut. Hondsberoerd. En dat gaat de komende uren niet veranderen. Ik ben al een keer bevallen, en ik weet hoe pijnlijk het is. Dit is nog een graadje erger, want je weet dat je zonder baby de deur uit zult lopen. Er is niets om naar uit te kijken. We kwamen met z'n drieën binnen en gaan er straks met z'n tweeën uit. En daar wil ik graag, als het moet héél lang, met iemand over praten. Want ik heb mij nog nooit eerder zo ellendig gevoeld als nu, de dood van mama even daargelaten. Jij moet je toch ook vreselijk voelen?'

'Lieverd...'

'Nou, zeg op: hoe voel je je nu dan?' zei Faye fel. Ze ging rechtop zitten. 'Doe die tv eens uit. Wat voel je?'

Ik keek haar zuchtend aan en zette de tv zachter, niet veel.

'Wil je het echt weten? Verdrietig. Omdat we ons kind kwijt zijn. Boos. Dat het óns overkomt en niet iemand die al drie, vier kinderen heeft.'

Ik pauzeerde kort, zocht naar woorden.

'En... ik voel mij... teleurgesteld. Omdat het de tweede keer is dat er iets niet goed gaat bij jou, vanbinnen.'

Faye schoot vol, maar zei niets. Ze keek alleen maar naar me.

'En... eerlijk gezegd, heel raar misschien hoor, heb ik méér behoefte aan een patatje mayo-satésaus, dan om mijn diepste zielenroerselen hier uit te graven, in deze verschrikkelijk deprimerende kut-ziekenhuis-klote-kamer.'

Faye huilde geluidloos. Ze draaide zich op haar zij, van mij afgewend.

Ik stond op. 'Laat maar komen, je vriendinnen. Ik ben even de hort op.'

Faye draaide zich om. Haar wangen waren nat. 'Waar ga je heen dan?'

'Weet ik het. Gewoon, wat rondlopen. Het kan nog uren duren, zei je net.'

'Kan. Hoeft niet. Blijf je wel in de buurt?' vroeg Faye. Ze klonk bang.

'Ik ben er heus op tijd bij om de navelstreng door te knippen,' zei ik.

'Waarom doe je zo?' vroeg Faye.

Ik zei gedag en liep de kamer uit.

De grillburger met roze saus van de Febo op het Stadionplein was perfect. Ik likte mijn mondhoeken schoon, pulkte een stukje sla tussen twee kiezen uit en gooide na de laatste hap nog wat kleingeld in de gleuf naast de glazen luikjes. Ik trok een satékroket. Die nam ik vroeger ook altijd, als we in het Palladium geweest waren, voordat we naar The Bell's Club gingen. De goeie ouwe tijd met Ingmar en Ralph. Ik zag ze te weinig. Vriendschappen: eigenlijk had je er geen reet aan. Je sms'te elkaar pro forma eens wat, dat we maar snel weer een biertje moesten doen, hoe het ging, druk druk druk, blablabla.

Ik sloeg de beduimelde en met vetvlekken bedekte kaft van een *Panorama* dicht en checkte even de *Story* daaronder. Ik had de nodige verhalen gemist, de laatste tijd. Was die Songfestivalzangeres echt bij haar man weg? Waarom wist ik dat niet, verdomme. Ik had altijd zo'n goed contact met haar! Hoezo had ze mij dat nieuws niet gegund? Ik las dat ze haar gesproken hadden op de première van Circus Renz. Ja, die had ik laatst afgezegd.

Dat kon dus ook niet meer – dit kostte mij mijn reputatie!

Ik verfrommelde mijn servet, wierp dat met een boogje in de prullenbak, en liep naar mijn Alfa.

Ik reed naar mijn oude buurt, naar de flat waar ik samen met mijn moeder tot mijn negentiende had gewoond. Ik liep een rondje om het gebouw, zonder doel, zomaar. Er was niet veel veranderd, alleen de galerijen hadden een ander kleurtje gekregen. Ik keek naar ons oude appartement, op de vierde etage. Er hingen verticale lamellen voor het raam. De hangbakken op het balkon, waar mijn moeder altijd van die paarse plantjes in had, hingen er niet meer.

Daar, op de derde, had Zenna gewoond. Ik had haar nog niets van ons drama verteld. Misschien moest ik haar ook maar even een sms sturen. Ze zou wel in een ver land zitten.

Toen reed ik naar de begraafplaats.

Via een doorgang in het ontvangstgebouw wandelde ik de begraaf-plaats op. Ik moest mij even oriënteren; ik was hier al jaren niet meer geweest. Volgens mij moest ik aan het eind van het pad, dat in het verlengde van de entree lag, linksaf.

Ik liep op een metershoog wit beeld af, dat aan het einde van het pad stond. Jezus die, gehuld in een lendendoek, zijn armen richting hemel hief. Het verhaal van de opstanding, zijn verrijzenis uit de dood, herinnerde ik mij van school. Ik vroeg mij af of het beeld er destijds, nu bijna dertig jaar terug, ook al had gestaan.

Ik volgde het pad links, de zoemende snelweg aan mijn rechter-hand. Het lawaai daarvan viel mij mee. Waarschijnlijk wel veel uitlaatgassen. Maar daar hadden de bewoners hier weinig last meer van. De bomen ruisten boven mijn hoofd. Ja, ik moest daar dat pad links nemen en dan meteen het volgende rechts in, meende ik.

Daar zag ik het graf. Een witte marmeren zerk. Goed onderhouden. Er werd zichtbaar nog met liefde naar omgekeken.

De oranje avondzon gaf nog een beetje warmte, maar het werd allengs frisser.

'Mijn kind is dood,' zei ik hardop, voor het graf staand. 'Ik weet niet of het een jongen of een meisje is, trouwens. Het zal waarschijnlijk vannacht geboren worden. Wil jij er een beetje naar omkijken? Jij weet hoe het bij jullie werkt.'

Ik stond hier natuurlijk volkomen voor paal, dat begreep ik ook wel. Het was maar te hopen dat niemand mij kon horen. Maar ik vond het fijn om hier te staan.

'Sorry trouwens dat ik lang niet geweest ben. Maar ik denk nog vaak aan je,' zei ik, iets zachter.

Ik focuste op de naam op de grafzerk. Ward van Berkum. Bizar dat ik hier stond als veertigjarige, met rimpels en grijze slapen, terwijl Ward geen moment ouder is geworden dan op die ene vreselijke winterdag in 1977. Hij zou me niet eens meer herkennen, waarschijnlijk.

Vanuit mijn broekzak klonk de eendensnater-toon.

Dinsdag 19:56 uur
Waar blijf je? De tweede pil zit erin. E en H zijn al weg. Ik heb zoveel pijn, kom alsjeblieft X

Ik keek nog één keer naar het graf, stak mijn hand op en liep terug naar mijn auto.

64

Via de snelweg reed ik plankgas naar het ziekenhuis.

Faye vroeg waar ik geweest was. Ik zei dat ik wat had rondgereden, de Alfa even stevig op zijn staart had getrapt en toen naar de Febo was gegaan.

'De Febo?' Daarna had Faye zich omgedraaid.

Twintig minuten later moest Faye naar de wc. Ze strompelde moeizaam door de kamer.

Ik kon een lach niet onderdrukken. 'Wat draag jij nou? Een luier?'

Faye keek mij woedend aan. 'Ja, een luier! Terwijl jij een vette bek haalde en de coureur uithing, kreeg ik hevige bloedingen, mocht het je wellicht interesseren. Ik ben doodsbang dat dat kind eruit floept, dus heb ik Nies gevraagd iets over het maandverband heen te doen. Elke keer als ik moet plassen, schijt ik bagger dat ik het hele zaakje eruit pers, en dat het in de afvoer van de wc verdwijnt.'

Ik sprong van mijn bed en ondersteunde Faye richting de wc bij onze kamer.

'Heel attent van je,' zei ze, cynisch.

Het was elf uur 's avonds. Het werd donker buiten. Faye had nu naast de bloedingen ook slijmerige afscheiding, en kromp om de zoveel tijd ineen van de krampen die ze had. Weeën. Dood kind of niet.

Ik riep Nies. 'Het is een armageddon tussen de benen van mijn vrouw.'

Nies gaf Faye extra pijnstillers. 'Ik ben op de gang, hè. Als er wat gebeurt, roep me dan onmiddellijk,' zei ze. 'Gaat het met jou?' vroeg ze mij.

'Prima. Is er misschien nog iets te eten?' zei ik.

Faye wilde ondanks de pijnlijke contracties proberen wat te slapen, en dimde het licht aan haar kant. Ik staarde vanaf mijn bed naar het plafond, probeerde mij een voorstelling te maken van wat ons te wachten stond.

Nadat Faye drie uur later het volgende Cytotectablet in had gebracht, kwam Van Zwol langs. 'Ik hoorde van de verpleegkundige dat u veel last heeft van de contracties. Ik ga u toucheren en voelen hoe ver de ontsluiting is. Als die is ingezet, gaat het ineens een stukje sneller dan bij een normale bevalling.'

De gynaecoloog constateerde dat de ontsluiting op schema lag, maar dat ze nog niet tot de bevalling kon overgaan. Faye had inmiddels regelmatige persweeën en ik zag aan haar gezicht dat ze telkens over haar pijngrens heen ging. Ik had mijn bed naast het hare gezet, en hield haar rechterhand vast. Als ze een pijnscheut kreeg, kneep ze er hard in. 'Wat een fokking hel!' tierde ze, na de zoveelste samentrekking.

Toen Nies om tien voor half vier weer poolshoogte kwam nemen, zag ze dat Faye op was. 'Ik ga de dokter halen,' zei ze. 'Dit kan zo niet langer.'

Van Zwol voelde na binnenkomst hoe ver de baarmoedermond openstond. 'Ik voel de beentjes in de vagina. Ik ga niet langer wachten.'

Mijn hart bonkte in mijn keel. Een blok beton in mijn maag. De beentjes. Het ging mij door merg en been. De dode beentjes van mijn kind.

Faye kreunde van de pijn. 'Alsjeblieft, trek het eruit.'

Nies legde een zeiltje onder Faye's benen.

'Probeer even te ontspannen,' zei Van Zwol tegen Faye. Daarna trok de gynaecoloog onze Tinus er in één keer uit.

Om vier over half vier werd ik vader.

65

Wat zou er van je over zijn? Wat trof ik aan als ik mijn blik van het gezicht van Faye, dat licht gaf van witheid, zo'n halve meter benedenwaarts verplaatste – naar jou, mijn hoogstwaarschijnlijk met bloed besmeurde kind, dat nu tussen haar dijen lag, bijna een etmaal nadat we ons, argeloos, in het ziekenhuis hadden gemeld voor een routine-echo?

'Een jongetje,' hoorde ik de gynaecoloog zeggen.

Ze wachtte even. 'Jullie kunnen kijken. Het is niet vervelend.'

We keken. Daar lag je.

Mijn zoon.

66

Een buitenaards wezentje, daar deed hij mij bij de eerste aanblik aan denken. Een groot hoofd, vergeleken bij de rest van zijn lijfje. De lengte van een piccolo champagne, schatte ik. De kleur van stoofpeertjes. Hij zat onder het bloed.

'Ik zie waarom het is misgegaan,' zei Van Zwol op sombere toon. Ze wees op zijn nek. Daaromheen zat de navelstreng gesnoerd. 'Die zit erg strak. Zeker een paar keer eromheen. Als een foetus geen voeding meer krijgt via de navelstreng, kan hij ook geen vruchtwater aanmaken.'

'Heeft hij pijn geleden?' vroeg ik.

'Nee.'Van Zwol glimlachte meegaand. 'Er is wetenschappelijk bewezen dat een foetus vanaf zesentwintig weken pijn ervaart.Vandaar dat, en het klinkt nu een beetje ongepast misschien, een abortus tot maximaal vierentwintig weken uitgevoerd mag worden zodat zeker is dat de foetus daar niets van voelt.'

Faye, die voorovergebogen een korte blik op ons kind had geworpen, liet zich terugzakken in de kussens. Ze pakte haar T-shirt vast. 'Gaan die bloedvlekken er ooit nog uit?' vroeg ze.

Ik keek Van Zwol aan, toen Faye. 'Schatje, dat komt wel goed,' zei ik, terwijl ik haar been streelde.

Van Zwol liep naar de wastafel, vulde een glas met kraanwater en gaf het aan Faye.

'Weet je waar ik nu een moord voor zou doen? Een saucijzenbroodje,' zei ze. 'Die hebben ze beneden, zag ik gistermiddag. Misschien zijn ze open 's nachts.'

'Dat zal niet gaan,' zei Van Zwol. 'We zijn nog niet helemaal klaar, vrees ik. Je placenta is niet meegekomen. Die moet ik onder volledige narcose verwijderen. Ik ga de operatiekamer laten klaarmaken, en laat jullie kindje ophalen. Dan wordt hij schoongemaakt en onderzocht.'

'Oké. Jammer,' zei Faye. Toen begon ze te huilen.

67

Nies kwam ons dode kind halen. Het was iets voor vieren. Ze schoof een vinger onder zijn slappe hoofdje en de rest van haar hand onder zijn rug en billetjes, en legde hem behoedzaam op een witte doek.

'Ik breng jullie baby weg,' zei Nies. 'We maken hem schoon. Ik kom hem dan later vanochtend brengen, als jullie wat uitgerust zijn. Jullie kunnen dan afscheid nemen en foto's maken, als je wilt.' Ze liep de kamer uit, de deur met haar ellenboog openduwend.

Luttele seconden later zwaaide de deur weer open. Van Zwol kwam binnen met in haar kielzog een verpleger met witblond geverfde stekels en een kleine oorring. Hij had de contouren van een fervente sportschoolbezoeker, en droeg knalgroene Nikes met dikke zolen.

'De ok is gereed,' zei Van Zwol tegen Faye. 'We rijden je er met bed en al heen. Mijn collega zal nu een infuus bij je plaatsen. Hoe gaat het?'

Faye zei iets wat klonk als 'kut'.

Tegen mij zei Van Zwol: 'Het duurt ongeveer een halfuur om de placenta te verwijderen. Als je vrouw terugkomt, zal ze wat sloom zijn. Ze krijgt volledige narcose.'

'Kan ik erbij zijn?' vroeg ik.

'Het spijt me. Dat kan niet,' antwoordde ze, op een toon die weinig ruimte tot onderhandelen voorspelde.

'Maar bij een keizersnee mag je er toch ook bij? Ik ben hier de hele nacht al. Hoeveel erger kan het worden?'

'Dit is geen bevalling, maar een serieuze operatie. Het is helaas niet toegestaan dat je daarbij bent.' Ze legde haar hand op mijn arm. 'Ik zorg goed voor haar.' Ze droeg geen trouwring.

Schwarzenegger laveerde Faye de gang op. 'Tot zo,' zei hij.

Ik liep naast het bed mee. Of was dat soms ook verboden?

Het ganglicht was gedimd. De rubberzolen van de verpleger maakten piepgeluidjes. Het was verder doodstil op de kraamafdeling. Alle levende baby's sliepen.

Het bed met Faye werd voor de liftdeur geparkeerd.

'Wij gaan hier nu naar beneden,' zei Van Zwol.

Ik kuste Faye op haar voorhoofd.

Ze keek me aan. Er zigzagde een traan over haar wang. Haar hand zocht de mijne.

'Het spijt me zo,' fluisterde ze.

De lift opende zich. Faye werd naar binnen gereden.

'Tot zo dus,' zei de spierbundel.

'Ja ja,' zei ik.

Ik zag nog een deel van Faye's kruin. Toen sloten de liftdeuren zich.

Ik slenterde door de schemerige gang terug naar onze kamer. Toen ik het gordijn een stukje opzijschoof, zag ik op de snelweg al flink wat auto's rijden. Op de binnenplaats van het ziekenhuis onder mij stonden twee mensen te roken. Ze lachten. Daarna moest er eentje hard hoesten.

Ik schoof het gordijn dicht, ging op mijn bed liggen en zette de tv boven mijn bed aan. Teletekst verscheen. De landen van de Europese Unie gingen informatie uitwisselen over DNA, vingerafdrukken en nummerplaten, om daarmee internationale misdrijven makkelijker te kunnen oplossen, las ik.

Ik drukte met de afstandsbediening de tv uit en pakte de informatiefolder over bevallen die op de tafel bij het raam lag. 'U ontvangt na de geboorte een factuur voor de medische hulp bij de bevalling,' las ik. Zou dat ook gelden voor dode baby's?

68

WEEK 18

Deze week ben je twintig centimeter, en weeg je tweehonderd gram.
Je bent een heus minimensje, met alles erop en eraan.

69

Faye keerde groggy terug op de kamer, waar we wonderwel in slaap vielen. Het werd al licht.

Tegen half negen werden we wakker. Nadat we gedoucht en zwijgend ontbeten hadden, kwam Nies binnen. Ze vroeg of we de baby wilden zien.

Ze bracht hem even later binnen op een witte doek, die over een dienblad gedrapeerd lag.

Het was raar om naar hem te kijken. Hij leek niet iets wat van ons vlees en bloed gemaakt was.

Nies legde het dienblad op het voeteneinde van Faye's bed.

'Ik laat jullie alleen. Laat maar weten wanneer jullie kindje weer gehaald moet worden. Mijn dienst zit er zo op, maar dan komt er een collega die er vanaf weet.' Ze wachtte even. 'Ik wil jullie even zeggen dat vannacht ook op mij grote indruk gemaakt heeft. Neem de tijd om het te verwerken. Ik wens jullie diep uit mijn hart toe dat het jullie nog een keer gegund zal zijn. Jullie zijn een goed stel, volgens mij.'

'Bedankt,' zeiden we gelijktijdig. 'Dan wil ik wel dat jij er weer bij bent,' zei ik.

'Beloofd,' zei Nies, en verdween door de deur.

'Oké,' zei ik tegen Faye. Ik boog mij over haar voeteneinde, en prikte met mijn wijsvinger zachtjes in ons hoopje kind. Zacht, glibberig. Ik had ooit gezwommen met dolfijnen. Hun huid voelde ook zo, iets harder misschien.

Hij oogde puntgaaf, behalve dan die navelstreng om zijn hals. Het zag er naar uit. Zijn hoofdje was volledig afgekneld.

Faye streelde zijn voetzool. 'Dit jongetje zat gewoon in mij.' Ik pakte hem van het dienblad, de doek onder hem houdend. In mijn handpalm hield ik hem voor me en keek hem aan. 'Hallo daar!' zei ik. Ik rook aan hem, een beetje in de buurt, niet te dichtbij. Een weeïge geur.

'Zit je er nou gewoon aan te ruiken?' zei Faye.

'Ja. Mag ik?'

Ik dacht even na of ik echt wilde zeggen wat ik dacht. Ik moest wel.

'Ik kan er niets aan doen, maar ik moet er steeds aan denken dat jij de laatste weken naar de sportschool bleef gaan. Dat kon allemaal geen kwaad, zei jij. Maar misschien heb je toch iets te vaak buikspieroefeningen gedaan, of omgekeerd aan een apparaat gehangen. Die navelstreng komt toch niet zomaar zo vast te zitten om dat nekje?'

Faye stond op, liep naar de badkamer, ging naar binnen en deed de deur achter zich dicht. Ik hoorde haar kort daarna snikken.

Het was opvallend hoe mijn zoon op mij leek. Meer op mijn vader nog. Een echte Ittervoort. Hoog voorhoofd, geprononceerde neus, ogen die wat uit elkaar stonden. Ook zijn ledematen leken in een mal van mij gebakken te zijn. Mijn ballonkuiten. Die vierkante handen en voeten. 'Berenklauwen,' noemde Faye ze altijd. De rechte romp, niet bepaald atletisch. Zijn ene oog zat dicht, het andere stond halfopen. Hij keek boos, alsof hij zelf ook behoorlijk pissig was over het feit dat hij dood was.

Faye kwam de badkamer uit. Ze had rode ogen.

'Misschien heb je wel gelijk. We moeten het Van Zwol vragen.'

'Kun jij wat foto's van hem nemen in mijn hand, met mijn camera? Die zit in de binnenzak van mijn jasje,' zei ik.

Faye pakte de camera. 'Zo?' zei ze, terwijl ze het toestel op mij en de baby richtte. Ze maakte meerdere foto's. Van dichtbij, maar ook een paar met mij erbij. 'Het voelt heel vreemd dit,' zei ze.

'Wil jij hem nog even?' vroeg ik.

'Nee, leg maar terug. Ik vind het naar om hem vast te houden. Straks knakt dat hoofdje dubbel. Doodeng.'

Ik legde hem op het dienblad.

'Gaan we hem een naam geven?' vroeg Faye.

'Dat zou ik moeten uitzoeken,' zei ik.

'Uitzoeken?'

'Vanaf welk moment je een baby een naam mag geven. Of een dode baby.'

'Dat maken wij toch zelf wel uit?' zei Faye. 'We mochten ermee doen wat we wilden, zei die verpleegster gisteren!'

'Misschien zijn hier andere regels voor.'

'Regels?'

'Weet ik veel,' simde ik. 'We gaan hem in elk geval géén Valentijn noemen,' zei ik resoluut. 'Die naam was bedoeld voor een gezond kind. Dat vind ik zonde. Misschien krijgen we de volgende keer weer een zoon.'

'De volgende keer?' zei Faye. Haar mond vertrok tot een grimas van afschuw. 'Jezus, man. Er ligt hier een kind van ons dood op een dienblad. Wat ís er met je?'

Het werd Olivier, de tweede naam die Valentijn zou krijgen. Mocht er, je wist het nooit, eventueel, alsnog een broertje komen, dan kon die gewoon Valentijn heten.

70

Faye was in de garage een was aan het draaien terwijl ik boven mijn mail checkte, toen de arts die de vruchtwaterpunctie had gedaan belde.

Ze had de uitslag. 'Het is natuurlijk verrekte wrang dat jullie zoontje overleden is, en dat ik nu bel met de uitslag. We hebben geen enkele afwijking noch het syndroom van Down geconstateerd.'

Ze vertelde iets over 'zesenveertig chromosomen' en een 'normaal mannelijk karyotype', maar ik wilde het niet horen. Ik wilde dat Olivier een afschuwelijke, mensonterende afwijking zonder enig toekomstperspectief had gehad; dan zou zijn dood niet zo zinloos geweest zijn. Hij was gestikt nadat hij vermoedelijk bij een iets te enthousiaste buiteling in de navelstreng verstrikt was geraakt. Daar moesten we het maar mee doen. Ik vond het onverteerbaar.

De arts zei nogmaals hoe vreselijk ze het voor ons vond.

'Mocht het je vrouw gegeven zijn om weer zwanger te raken en jullie overwegen weer een punctie, bel mij dan. Als het goed is, staat mijn mobiele nummer in je schermpje. Ik zorg dan dat we dubbel de tijd voor een punctie nemen. Of misschien zijn er andere methodes. Ik voel mij op de een of andere manier betrokken bij jullie. Vandaar. Dus bel mij, oké?'

'Kan het zijn dat jullie ons kind geraakt hebben? U zei dat hij zo bijdehand deed toen hij naar de naald greep. Misschien was dat een schrikreactie en is hij verstrikt geraakt,' zei ik.

De arts bezwoer dat dat niet het geval was. 'We hebben alles nauwgezet uitgevoerd. Het ging allemaal goed.'

'Daar zal ik dan maar op vertrouwen,' zei ik.

Ik bedankte haar voor haar telefoontje.

'Sterkte,' zei ze.

Diezelfde middag belde ook Van Zwol. Ze had het obductierapport binnen.

'Er zijn uitwendig noch inwendig aangeboren afwijkingen aangetroffen. De eindconclusie van het OLVG zal ik even letterlijk voorlezen: "de intra-uteriene vruchtdood hangt meest waarschijnlijk samen met de sterke omstrengeling van de nek (driemaal) door de navelstreng",' zei Van Zwol. 'Wat we al vermoedden dus. Ik hoorde van de obductie-arts dat hij de streng er praktisch niet kon afwikkelen, zo ontzettend strak zat die. Jullie kind moet er al vroeg in verstrikt zijn geraakt.'

'Kan dat zijn gekomen door een verkeerde beweging van mijn vrouw of dat ze te veel kracht heeft gezet in de sportschool?'

'Nee. Een foetus zit in een zak met vruchtwater als buffer. Een veilige omgeving waarop fysieke invloed van buitenaf geen vat heeft. Dan heb ik het niet over een ernstige val of andere impact op de buik, natuurlijk.'

Het bleef even stil.

'Het is logisch dat je een oorzaak zoekt. Maar in de meeste gevallen is het pure pech. Het komt vaker voor dan de meeste mensen denken. Ik weet dat het zwaar is, maar soms is er gewoonweg geen enkele reden voor zoiets. Mag ik je iets persoonlijks meegeven? Zorg goed voor je vrouw. Hoor haar aan. Ze heeft een erg heftige bevalling doorstaan. Het is een van de afschuwelijkste dingen die een vrouw kan meemaken, moeten bevallen van een overleden kindje. Ik zie jullie in elk geval binnenkort terug op de poli, voor het afrondingsgesprek.'

Ik zei tegen Van Zwol dat ik haar advies op prijs stelde en dat zeker zou doen.

'Dossier gesloten,' zei ik tegen mijzelf nadat ik had opgehangen.

Wanneer kon je eigenlijk weer seks hebben, na zo'n bevalling?

71

Van cremeren wist ik niet heel veel af. De website van crematorium Westgaarde in Amsterdam was echter zeer informatief. Er stond een virtuele rondleiding op waarin geen vierkante meter verhuld bleef; zelfs de vier blinkende, rode ovens werden niet overgeslagen. Er was een zithoek bij. Het zag er niet eens ongezellig uit. Op tv-schermen aan de muur kon je tijdens de crematie de binnenkant van de oven zien.

'Het crematorium van Herdenkingspark Westgaarde biedt ruime faciliteiten op het gebied van cremeren,' vermeldde de website.

Ik belde. De vrouw aan de telefoon hoorde mijn relaas over Olivier aan, condoleerde mij en checkte wanneer er een crematiemogelijkheid voor ons was.

'Dat zou dan worden... aanstaande dinsdag 19 juni om tien uur 's ochtends. Zou dat schikken?'

'Geen probleem. Alleen mijn vrouw en ik komen, trouwens. Heeft u ergens een plekje waar we van tevoren kort afscheid kunnen nemen?'

'Natuurlijk. Mag ik u een tip geven?' vroeg ze. 'Ik neem aan dat u uw baby in een kistje of iets dergelijks wilt cremeren. Stop er dan wat extra spulletjes bij. Het klinkt wat cru, maar van een foetus blijft niet veel as over. Een vingerhoedje vol, hooguit. Al wikkelt u uw kindje maar in een doek, dat scheelt toch alweer. Vaak schrikken de mensen als ze zien dat er nauwelijks iets is om te verstrooien of om ergens in te bewaren.'

Ik bedankte de vrouw voor het advies.

De crematie ging 205 euro kosten. 'Kan ik dat daar pinnen?' vroeg ik.

'Dat is niet nodig. U krijgt een acceptgiro nagestuurd,' zei ze.

72

We wilden een geboortekaart versturen. De dichtstbijzijnde drukkerij zat op een industrieterrein, schuin tegenover Gamma.

In de kleine zaak, waar een grote vloermat lag met 'Welkom' erop, stond een man achter de balie. Hij was iets aan het invullen en likte aan zijn bovenlip. Zonder op te kijken, zei hij: 'Een moment graag.'

Ik wachtte.

De man had een gezicht dat gegranold leek. Het was fris geboend en glom, waardoor de oneffenheden in zijn gelaat nog meer opvielen. Hij rook naar een aftershave van onder de tien euro.

Hij was klaar. 'Heer!' zei hij tegen mij.

Ik wees naar een kast vol mappen. 'Ik zoek een geboortekaart.'

'Die hebben wij,' zei hij triomfantelijk.

Ik zei dat ik dat al verwacht had. 'Ik zou graag wat voorbeelden bekijken.'

De man grijnsde. 'Heer, we hebben genoeg kaarten om een kinderkamer mee te behangen!'

'Dat is goed om te weten, maar helaas niet nodig. Ik zoek een kaart voor een overleden baby. Onze zoon is dood ter wereld gekomen. Maar we willen toch een kaart versturen.'

Het bleef even stil. De man bewoog wat heen en weer. Hij trok zijn wenkbrauwen omhoog en keek erg ongelukkig.

'Och,' zei hij toen. 'Nou, er zal wel iets in die mappen moeten zitten wat u kunt gebruiken. Kijkt u op uw gemak even rond. Ik ben achter, in de drukkerij. Als u iets heeft gevonden, roept u me maar!'

Ik knikte en trok de eerste de beste map met geboortekaarten uit de kast.

Ik sloeg in de map blad na blad om. Pakte een volgende map. Nog een. De ene opgeplakte kaart was nog uitbundiger dan de andere. Kaarten met geluiden. Kaarten waaruit een stripfiguur veerde. Kitscherige kaarten. Religieuze kaarten.

Bij één kaart stond zelfs een foto van voetballer Rafael van der Vaart en zijn toenmalige vrouw Sylvie Meis, met een baby. 'Ook Sylvie en Rafael kozen voor hun zoontje Damián een kaartje uit onze geboortecollectie' stond erbij.

Ik bladerde snel door. Zuchtend zette ik ook deze map terug in de kast.

Toen viel mijn oog op een dunner, geel boekwerk. 'Dick Bruna Collectie', stond er op de zijkant. Ach ja, van dat konijn. Wellicht was dat wat.

Na een paar bladen viel mijn oog op een vierkant kaartje. Twaalf bij twaalf centimeter, las ik. Op de voorkant stond een sereen tafereel: een slapend babyhoofdje, dat boven een dekentje uitstak. Een paar simpele lijnen, die precies weergaven wat ik voor ogen had.

Dit was 'm. Ik maakte een foto van de voorkant en sms'te die naar Faye.

Ze belde meteen. 'Wat een lief kaartje. Doe je die?'

Ik hing Faye op en riep 'Hallo?' door de kier van de deur naar de drukkerij.

De man kwam binnen. Hij veegde iets uit zijn mondhoek. 'Iets gevonden?' zei hij.

Ik liet hem het voorbeeldkaartje zien. 'Deze graag. Negentig stuks, met enveloppen. Wanneer kan ik ze afhalen?'

'Als u de tekst heeft morgenochtend vanaf tien uur.'

Ik gaf de man de tekst, die ik op een A4'tje had uitgeprint. 'Dit moet erop.'

> *Tot ons intense verdriet*
> *is levenloos geboren op 13 juni*
> *onze zoon en mijn broertje*
> *Olivier*
> *Zo kort bij ons, voor altijd in ons hart*
> *Olivier is op 19 juni gecremeerd*
> *Tycho & Faye, Lucas*

De verkoper deed lang over het lezen. Daarna keek hij mij aan.

'Ik wil mij er verder niet mee bemoeien, maar uw tekst klopt volgens mij niet,' zei hij.

'Hoe bedoelt u?'

'U zegt net dat uw zoontje dood ter wereld is gekomen. Maar in de tekst staat 'zo kort bij ons.' Klopt dat wel? Hij is dan toch niet echt bij u geweest?'

Er zijn momenten in het leven dat je rücksichtslos, zonder genade uithaalt. Dat je iemand in één klap wilt neerhoeken. Omdat het nodig is. Dit was zo'n moment.

Ik keek naar de voorkant van de kaart, naar het slapende gezicht, vredig met de ogen dicht.

Nee, ik moest verstandig zijn. Ik was een vader. En dit was een randdebiel. Ik ontspande mijn schouders en rechterbovenarm, haalde diep adem en zei: 'Kunt u de kaart morgen klaar hebben, als het u geen gewetensbezwaren oplevert?'

'Natuurlijk, heer. Zoals u wilt,' zei de man. 'De klant is koning!'

73

In onze garage zocht ik iets waarin we Olivier konden laten cremeren. Ik verschoof wat koffers. Er kwam een deels opengeritste sporttas in zicht. Daar zag ik wat. 'Ik heb iets,' riep ik door de openstaande binnendeur naar Faye, die in de hal de ongelezen ochtendkranten van de afgelopen dagen in een plastic zakje van de chinees propte.

Ik wrikte een ivoorwit, rechthoekig kistje uit de tas. Het rammelde. Formaat schoenendoos, met op het deksel een blote, mollige engel met een androgyn gezicht.

Hm, dit leek mij misschien toch niet iets voor mijn zoon. Aan de andere kant: de fik ging erin, het was maar een tijdelijk onderkomen. Er zat gereedschap in, bleek toen ik het deksel eraf nam. Een nijptang, een schroevendraaier, wat bouten. Toevallig zocht ik die schroevendraaier. Ik legde hem op de wasmachine. Niet vergeten zo.

Ik toonde Faye het kistje. 'Een goed maatje wel.'

Ze trok een ik-weet-het-niet-gezicht. 'Ik vind het een beetje armoedig dat er gereedschap in heeft gezeten. En er zit een vieze veeg op de zijkant. Het lijkt mij ook niet groot genoeg. Die vrouw van Westgaarde zei toch tegen je dat we er veel spulletjes bij moesten doen, omdat er anders weinig overbleef?'

'Ja. Een vingerhoedje met as, zei ze.'

'Zullen we anders even bij Blokker kijken?' stelde Faye voor.

74

'Tweede gangpad rechts, voorbij de zwabbers,' wees de caissière van Blokker ons de weg naar het schap met verpakkingsproducten en decoratiemateriaal. Tussen de wc-borstels, fotolijsten, dienbladen en kaarsen konden we luxe geschenkdozen vinden.

Achteraan op de onderste plank viel mijn oog op een witte kartonnen doos van ongeveer dertig centimeter in het vierkant, met kleurrijke bloemen op het deksel.

'Deze?' vroeg ik.

'Laat eens kijken.' Faye bekeek de doos van alle kanten. 'Er moet dan inderdaad nog wel wat bij gelegd worden,' zei ze. Ze bekeek hem nog eens. 'Ja, deze is mooi.'

Ik droeg de doos naar de kassa. De caissière nam hem van mij over.

'Deze doen?' vroeg ze. Ze schoof de doos in een plastic zak en sloeg het bedrag aan.

'Dat wordt dan vijf euro vijfennegentig,' zei ze.

Ik legde een briefje van tien euro neer en ze gaf mij het wisselgeld terug. 'Deze maakt zes, en deze vier maken tien. En hier is uw bon,' zei ze.

'Nee, dank u,' zei ik.

'Mocht u de doos willen ruilen, dan kan dat alleen met de bon,' zei de caissière.

Ik boog mij naar haar toe, en zei: 'Ik denk niet dat we de doos komen ruilen.'

De caissière gaf niet op. 'Weet u het zeker?'

'We gaan onze dode baby hierin cremeren. De kans is honderd procent dat de doos niet terugkomt. Tot ziens!'

Ik beende de winkel uit, met Faye op een drafje achter mij aan. Buiten legde ze zuchtend haar hoofd op mijn schouder.

'Ik wil niet dat Olivier in een doos van zes euro moet,' zei ze. 'Zullen we toch maar een kistje doen?'

75

We zaten aan de eettafel. Faye had Luuk op schoot. Ze omhelsde hem stevig.

'Dus Olivier gaat in een oven?' prakkiseerde hij hardop. 'En hij voelt dan niets?'

'Nee,' zei ik, 'als je dood bent, voel je niets meer. Dat is dan wel weer het fijne aan dood zijn, dat je nooit meer pijn hebt.'

'Maar weet hij zelf dat hij dood is?' vroeg Luuk, terwijl hij zijn ogen tot streepjes kneep.

'Ook niet. Als je dood bent, is dat eigenlijk hetzelfde als er niet zijn. Dat weet je niet van jezelf. Voordat jij geboren bent, voordat je zelfs in mama's buik kwam, wist jij ook niet dat je zou komen.'

Faye streek door Luuks haar. 'Ik vind het zo jammer dat Olivier nou nooit heeft kunnen meemaken wat voor leuke broer hij had,' zei ze.

'Ik was dan zijn oudere broer,' zei Luuk. Hij keek trots.

'Je blijft altijd zijn oudere broer,' zei ik. 'En in de hemel waar Olivier heen gaat als wij hem morgen samen naar oma hebben gebracht in het park, zal hij het vast over jou hebben.'

Luuk was even stil. 'Ik vind het wel zielig dat Olivier alleen in die doos ligt,' zei hij peinzend. Hij gleed van Faye's schoot. 'Zal ik Zoef aan hem geven?' vroeg hij enthousiast.

'Wat ontzettend lief. Maar dat is je lievelingsknuffel, Luuk. Dat kan toch niet?' zei Faye.

'Ja, maar Olivier heeft helemaal niemand,' zei Luuk. 'Dat is niet eerlijk.'

Ik kreeg een brok in mijn keel. 'Je bent de allerbeste broer ter wereld, Luuk!'

Hij sprintte ineens de trap op. 'Ik ga een tekening maken! Voor mijn broertje!'

Na een kwartier kwam Luuk naar beneden met Zoef en een tekening. Hij liet ons een vel papier zien. Ik zag een groen monster met een opengesperde bek vol vervaarlijke, driehoekige tanden. Op zijn rug zat iets wat op een baby leek.

'Dit is een krokodil met Olivier. Die zal hem overal ter wereld en in de hemel beschermen,' legde hij uit. 'Mag die erbij? Misschien ziet hij het toch, ook al is hij dood.'

Rechtsboven stond in hanenpoten: *Voor kleine Olivier. Van je oude broer Luuk. We zullen je bewaken tot aan de hemel en daarna!!!*

76

Ik kreeg een tip doorgebeld van iemand die uit betrouwbare bron had gehoord dat een getrouwde politicus een liefdesrelatie had met een getrouwde politica van een andere partij. De twee zouden doordeweeks 'als konijnen tekeergaan' in zijn pied-à-terre in Scheveningen, wist mijn bron, die kennelijk naast de politicus woonde.

Ik zei dat ik geen interesse had.

77

Zwijgend liepen we de afdeling Verloskunde op. Mijn hart ging weer tekeer in mijn keel. We keken tegelijk naar de deur van de kamer waar Olivier bijna een week geleden geboren was, slechts een paar voetstappen verderop.

'We komen ons kind halen,' zei ik tegen een vrouw achter de balie, waarbij ik de kartonnen doos kortstondig voor haar gezicht heen en weer bewoog.

'In een doos?' vroeg ze.

'Ons kind ligt in het mortuarium,' zei ik.

De verpleegkundige keek mij een paar seconden aan en werd rood. 'O, nee. Wat erg,' stamelde ze. 'Echt sorry. Wat is uw naam?'

Ik zei dat ze onder Clark moest kijken.

Ze tikte iets in op het toetsenbord voor haar. 'Ja, ik zie het hier staan. Ik bel een collega voor u.'

Kort daarna kwam er een uit de kluiten gewassen verpleegkundige onze kant op. Ze had een rond, metalen brilletje en een melancholische uitdrukking op haar gezicht.

De vrouw stelde zich voor. Ik verstond haar niet, maar geloofde het verder wel.

'We komen ons kind halen,' zei ik.

'Ik weet het,' zei ze. 'Dokter Van Zwol heeft mij gevraagd alles voor jullie te regelen. Ik zie dat jullie een doos hebben?'

'Ja, en nog wat spullen voor erbij. Die zitten in de doos. Wilt u dat voor ons doen?' zei Faye. 'We denken dat we Olivier, zo hebben we hem genoemd, maar niet meer moeten zien. Er zit nu ook een ritsje in, toch?'

'Ja,' zei de verpleegkundige terwijl ze in de doos keek. 'Hij ziet er niet meer uit zoals de laatste keer dat u hem zag. Olivier. Wat een mooie naam. Ik zal Olivier in deze doek wikkelen en de tekening en knuffel erbij leggen. Hij heeft een broer, zie ik? Ontzettend lief, die tekening.'

Faye knikte.

'Kunt u het deksel dichtplakken?' vroeg ik. 'We zijn soms wat klunzig.'

'Jij,' zei Faye.

'Ik,' herstelde ik, en legde de verpleegkundige uit dat ik het al voor me zag: rijdend naar Westgaarde zou ik een klaverbladbocht te scherp nemen, de doos die Faye op schoot vasthield zou openschieten, Olivier zou gelanceerd worden en crashen tussen een voorstoel en de middenconsole.

'Echt, zulke dingen overkomen mij,' verzekerde ik haar.

De verpleegkundige kwam vijftien minuten later terug en had er werk van gemaakt. 'Hier komt niemand meer in of uit,' zei ze.

78

Het was geen lange uitvaartstoet: de Alfa, die ik nog even door de wasstraat had gereden, ik achter het stuur, Faye naast mij in haar nieuwe blouse en Olivier in de luxe geschenkdoos op haar schoot.

In crematorium Westgaarde verwelkomde een vrouw in een uniform met stropdas ons bij de receptie.

'Dat is...?' zei ze tegen de doos, die Faye vasthield.

'Ja,' zei ik. 'Dit is Olivier. Onze zoon.'

'Ach,' zei ze.

'We hadden gevraagd om een plek waar we kort afscheid kunnen nemen,' zei ik.

'Geen probleem. Ik zal u zo voorgaan naar de ontvangstruimte die momenteel niet gebruikt wordt. Zodra u eraan toe bent, komt u naar buiten en daar wacht ik u dan weer op. Dan zal ik de doos van u overnemen.'

Ze liep voor ons uit door de lege hal naar een gesloten dubbele houten deur. Daarvan deed ze er een open en ging naar binnen. Het was een grote ruimte, met vitrage voor de ramen, twee zithoekjes en wat statafels.

'Ik zal de deur achter mij sluiten,' zei de vrouw en liet ons alleen.

Faye zette de doos voorzichtig op een van de statafels. Ik keek de zaal rond. Hier stond het normaal vol met nabestaanden, met de bekende kop koffie en de plak cake.

Het voelde onwerkelijk, Faye en ik, met die kartonnen doos tussen ons in. Ik onderdrukte de opkomende neiging om het deksel los te maken en erin te kijken.

'Zal ik eerst wat zeggen?' vroeg ik. Ze knikte.

Ik schraapte mijn keel, en legde mijn hand op het deksel van de doos.

'Oké. Eh, lieve Olivier, dit is het moment om afscheid te nemen. Ik heb dit maar één keer eerder gedaan, en dat was met Ward, maar die was wel een stuk ouder, die was elf, nog steeds jong natuurlijk, en... ik weet niet heel goed wat ik moet zeggen. Ik heb je uiteindelijk amper gekend. Eigenlijk helemaal niet. Daar had die loser van de drukkerij dan wel weer gelijk in.'

Ik viste een stuk papier uit mijn achterzak. 'Ik wil eerlijk tegen je zijn. In het begin wist ik niet goed of ik heel blij moest zijn toen we zagen dat mama in verwachting was van jou. Ik was bang dat jouw komst mijn leven zo zou veranderen dat het niet meer bij me paste. Ik dacht aan alle dingen die ik nooit meer zou kunnen als jij er was. En ik was bang dat ik het niet zou kunnen: een goede vader zijn. Pas toen ik in mijn eentje op reis was en ik aan jou dacht in mama's buik zo ver weg, besefte ik: misschien kan ik dit wel. Een leuke, grappige maar bovenal zorgzame vader zijn. Van iemand meer houden dan wat dan ook in de wereld. De laatste dagen heb ik een top vijf gemaakt van dingen waar ik stiekem over droomde de afgelopen maanden. Dingen die ik graag met je had gedaan als vader.

Op vijf: ik zou je elke avond hebben voorgelezen en al die gekke stemmetjes hebben gedaan, en je daarna lekker hebben ingestopt en een kus gegeven.

Vier: ik zou je meegenomen hebben naar alle premières van kinderfilms. Daar hebben ze altijd héél veel snoep, zoals glacékoeken en lolly's.

Op drie: ik zou je leren autorijden voordat het officieel mag. In het Amsterdamse Bos, op de parkeerplaats bij de manage.

Twee: we zouden urenlange gesprekken met elkaar voeren, als we met z'n tweeën op mannenweekend waren, in een Europese stad. En dan gingen we niet naar musea of andere saaie plekken, maar lekker naar de kroeg.

En op één: ik zou er altijd voor je zijn. En altijd achter je staan, wat je ook zou doen. Je was mijn zoon. En ik was je vader. De beste vader die er zou zijn.'

Ik vouwde het velletje op, boog mij voorover en drukte een kus op de doos.

Faye keek naar de doos, en legde ook haar hand op het deksel.

'Dag lieve, allerliefste Olivier. We houden van je. En mama zal...' Ze brak en wierp zich in mijn armen.

'Waar blijven die twee plakjes cake?' zei ik.

Faye maakte zich los uit mijn omhelzing en pakte de doos van de statafel. We openden de houten deur en liepen de hal in. De medewerkster kwam meteen aantippelen.

Ik overhandigde haar de doos. 'Zorgt u goed voor hem?' zei ik.

'Daar kunt u van verzekerd zijn. Was u trouwens verteld dat u de

189

doos ook zelf in de oven kunt zetten en daar kunt wachten?'

Faye en ik keken elkaar aan.

'Nee,' zei ik. 'Maar ik geloof ook niet dat ik dat zou willen. Jij?'

Faye schudde haar hoofd.

'We bellen wanneer de urn gereed is. Ik verwacht vanmiddag nog,' zei ze. 'Bij baby'tjes van deze grootte krijgt u de as dezelfde dag,' legde ze uit.

We namen afscheid. Bij de uitgang keken we een laatste keer om. De vrouw was al weg.

'Denk je dat ze die doos echt verbranden?' vroeg ik aan Faye, toen we naar de auto liepen. 'Of zouden ze 'm alsnog in een biobak flikkeren, en uit de oven van een vorig lijk gewoon wat as in een urn doen? Ze zullen het vast te duur vinden om zo'n oven voor zo'n baby te moeten opstoken.'

Faye negeerde mijn opmerking.

'We zijn toch geen slechte ouders dat we Olivier niet zelf in de oven wilden zetten? Ik vond het zo'n afschuwelijk idee,' zei ze, terwijl ik het portier voor haar openhield.

Ik stapte zwijgend in, startte de Alfa, sloeg bij het toegangshek rechtsaf, en gaf gas richting de A9.

'Wie is Ward?' vroeg Faye.

79

Op een donkere decemberochtend, het zal rond half acht geweest zijn, was de telefoon gegaan. Ik stond me te wassen in de badkamer, en hoorde mijn moeder opnemen. Er belde nooit iemand zo vroeg. Het bleef lang stil. Toen zei mijn moeder: 'O, wat verschrikkelijk!' Daarna nog eens. Ze wenste degene aan de andere kant van de lijn 'heel veel sterkte' en hing op.

Toen kwam ze naar de badkamer en zei ze dat ik op de wasmand moest gaan zitten. Ze had tranen in haar ogen. Met enige moeite bukte ze, en pakte mijn handen vast.

'Tycho, ik moet iets heel ergs vertellen,' zei mijn moeder. 'Ward is dood. Hij is gistermiddag op zijn fiets vlak bij zijn huis onder een vrachtwagen gekomen.'

Ward was elf en mijn allerbeste vriend. Twee weken later zou hij twaalf geworden zijn. Hij was die middag bij mij thuis geweest. We hadden in mijn kamer samen aan een spreekbeurt voor school gewerkt, over het vogelbekdier. In de openbare bibliotheek hadden we daar boeken over gehaald. Hij was omstreeks half zes bij mij vandaan naar huis gefietst. Onderweg was hij overreden door het wiel van de vrachtwagen en was op slag dood geweest, had zijn moeder die van mij verteld.

Ik moest eerst zacht huilen, en daarna heel hard toen ik mij realiseerde dat ik Ward echt nooit meer zou zien.

'Maar zijn bibliotheekkaart ligt nog hier,' had ik geroepen.

Het slechte nieuws was Wards ouders thuis medegedeeld. Omdat Wards gezicht volgens de politie aan een kant gruwelijk verminkt was, hadden zijn radeloze ouders aan onze leraar van de vijfde klas, meester Van Es, gevraagd of hij Ward voor hen wilde identificeren in het mortuarium van het ziekenhuis.

Meester Van Es had een haakneus waar witte haren uitstaken en diepe groeven in zijn gezicht. We waren bang voor hem. Van Es was heel streng. Hij kon uit het niets woedend worden. Dan sloeg hij in de klas met zijn aanwijsstok op de tafels van kinderen die aan het praten waren. De kinderhater, noemden we hem.

Er werd gezegd dat hij dronk. Op het schoolplein dreven we de spot met hem. Dan zongen we 'Van Es, Van Es, Van Es, pak nog maar een fles'. Terug in de klas deden we het weer in onze broek.

Meester Van Es keerde die ochtend bleek en zichtbaar aangeslagen terug uit het mortuarium. Voor de muisstille klas vertelde hij hoe Ward uit een soort ijskast getrokken was en er een laken van zijn volgens Van Es zwaar gehavende gezicht gehaald was. 'Ik kon alleen maar zeggen: Wardje, mannetje toch, wat is er met je gebeurd?'

Tranen liepen over zijn wangen, terwijl hij ons aanstaarde. Zo hadden wij Van Es nog nooit gezien. Alle kinderen in de klas moesten huilen. De rest van de dag kregen we vrij.

Ward kreeg een uitvaartdienst in de kerk die aan onze school verbonden was. Zijn moeder had een dag eerder gebeld: of ik als zijn beste vriend iets wilde zeggen.

Ik was zenuwachtig. De kerk was tot de laatste plaats bezet. Het zong rond dat de vrachtwagenchauffeur een boeket had gestuurd. 'De moordenaar,' had een vader van een klasgenoot gefluisterd, volgens Zenna, die naast mij in de kerkbank zat.

De kist met Ward stond voor het spreekgestoelte waarachter ik mijn verhaal moest vertellen. Ik had mijn moeder gevraagd of ik mijn nieuwe Puma's aan mocht.

Ik voelde dat de hele kerk mij aankeek, toen ik op een teken van de pastoor naar voren liep, en het blad uit mijn multomap op het spreekgestoelte neerlegde. Wards ouders en zus zaten op de eerste rij, zag ik. Ik durfde ze niet aan te kijken.

Ik las de zinnen voor die ik extra netjes op het papier had geschreven. Het ging erover dat Ward mijn allerbeste vriend was en dat we vaak afspraken en dan leuke dingen deden, zoals varen op de Poel in mijn rubberboot. Maar ik zei ook dat hij soms gepest werd en dat andere kinderen hem vreemd vonden omdat hij heel veel wist. Ze hadden hem 'de professor' genoemd en hem uitgelachen. Ik vond Ward juist heel grappig, zei ik. Ook had hij wandelende takken, die we weleens samen uit hun plastic bak haalden. Ik zei dat ik wel voor die takken kon zorgen, als niemand het durfde. Mij kenden ze.

Ik maakte gelukkig geen fouten. Over de bibliotheekkaart zei ik niets. Tijdens het lezen keek ik soms vluchtig naar de kist. Ik vond het een raar idee dat Ward daarin lag. Zou hij echt niets horen?

Toen ik klaar was, liep ik langs de kist, waar ik met ontzag op neerkeek. 'Je was echt mijn allerbeste vriend,' zei ik, terwijl ik mij afvroeg aan welke kant zijn hoofd lag. Met bonkend hart keek ik naar zijn ouders en zus. Ze glimlachten naar me, Wards moeder door haar tranen heen.

Ik ging op mijn plek zitten, en schoof dicht tegen Zenna aan. Ze pakte mijn hand en liet hem niet meer los.

De nacht na de kerkdienst en de begrafenis, die in besloten kring plaatsgevonden had, ging ik naar mijn moeders slaapkamer. Ik kon niet slapen. Mijn moeder zei dat ze het snapte, en tilde haar dekbed op. Maar ook naast haar lag ik naar het plafond te staren.

Na een tijdje fluisterde ik: 'Mam, ik vind het zo zielig dat Ward alleen in die kist ligt, in de koude grond.' Maar mijn moeder sliep al.

De volgende ochtend verstopte ik de bibliotheekkaart van Ward in mijn kamer.

80

Ik keek op mijn Omega Seamaster. Hoe ver zouden ze zijn, daar op Westgaarde? Het was ver boven de twintig graden, de lucht was felblauw. We lagen murw op een strandbed bij Tijn Akersloot in Zandvoort. We waren praktisch alleen, deze dinsdagochtend. Het was nog geen twaalf uur.

Een vrolijk meisje kwam onze espresso en koffie verkeerd brengen. Haar ene arm was tot haar ellenboog geamputeerd maar het serveren ging haar behendig af. Ik gaf een extra hoge fooi.

Een paar bedjes verderop zat een stel met een meisje met vlechtjes, van een jaar of drie. De peuter speelde met een emmer en schepje. Ze maakte tevreden, onverstaanbare geluiden.

Faye keek de andere kant op.

Tegen enen, we hadden net een broodje ei met mayonaise op, ging mijn telefoon. Westgaarde. De crematie was voltooid. We konden de urn komen halen.

Eenmaal terug werden we door een vrouw die zich voorstelde als 'Connie Goes, rouwdienstmedewerker' voorgegaan naar een kamer, schuin achter de halfronde receptie. Er stond een ovale tafel met stoelen, en tegen de wand een vitrinekast vol met urnen in alle soorten en maten. 'Dit is de as-afhandelingskamer,' zei Connie. 'Wilt u koffie?'

Dat wilden we niet. Connie liep de kamer uit.

Terwijl Faye en ik naar de collectie keken, kwam ze terug met een mini-urn in haar hand. Ze zette hem voor ons neer. Hij was bordeauxrood, ongeveer twaalf centimeter hoog, in plastic verpakt en dichtgeplakt met een kleine sticker. Daar stond 'Olivier Clark' op en de datum van die dag. Omdat ik ons aanstaande kind nog niet had erkend als vader kreeg het automatisch de naam van de moeder.

Ik pakte het urntje op. Het woog niets. Ik vond het vreemd zijn naam te lezen.

'U had gekozen voor de standaard-urn,' zei Connie.

'Ik wist niet dat er zo veel keuze was,' zei ik, kijkend naar de vitrinekast.

Connie knikte en zei: 'Zoveel mensen, zoveel wensen.'

Ze wees naar een groen, glad kunstwerk. 'Die is heel populair: de druppel.'

'Is het geen traan?' meende Faye.

'Dat denk ik niet,' zei Connie.

Ze wees naar wat andere urnen. 'Gladde keien. Heel smaakvol. Zien er ook helemaal niet uit als een urn. Daar, eentje in mozaïek. En dit zijn dan weer de sieraden, daar kun je ook as in doen,' zei Connie, terwijl ze een ketting liet zien. 'Mensen bestellen ze vaak op internet. Dat is goedkoper. Maar daar komen ze snel van terug. Dan moeten ze zelf de as erin doen en dat gaat vervolgens genadeloos mis. En dan bellen ze ons of we asjeblieft die as erin willen doen. Dat is natuurlijk niet de bedoeling.'

Ze vertelde ook nog dat ouders van een gestorven baby er vaak voor kozen de as te verstrooien op hun verzamelveld. 'Dan hebben ze het gevoel dat hun kindje niet zo alleen is,' legde Connie uit. 'De naam komt op de plexiglazen plaatjes te staan, die bij het strooiveld hangen.'

'Het Bert en Urnie-veld,' zei ik.

81

WEEK 19

Je past in papa's handpalm en weegt niets.

82

Ik parkeerde de Alfa bij de zuidelijke ingang van het park. Hand in hand, Luuk in het midden, liepen we over het brede kiezelpad naar de plek. Faye droeg haar tas over haar schouder.

'We boffen maar met het weer, hè?' zei ik. 'Wil iemand een Mentos?'

We groetten een vrouw met een labrador die aan de broek van Faye snuffelde en liepen rechtsaf het stuk park in waar we Olivier zouden achterlaten. We keken rond of er niemand aankwam.

Faye pakte het bordeauxrode urntje uit haar tas. Ze gaf het aan mij.

'Doe jij het maar,' zei ze. Haar ogen waren vochtig.

Ik haalde het urntje uit het plastic, en schroefde het deksel ervan af. De as was grijswit. Ik prikte er met het topje van mijn wijsvinger in. Het voelde aan als schelpenzand.

'Kijk.' Ik liet het geopende potje zien.

'Zit Zoef hier ook in?' vroeg Luuk.

'Ja. En de krokodil.'

Ik hield de urn een beetje schuin boven de plek waar Faye's moeder lag en goot de as eroverheen.

'Dag Olivier. Dag jongen,' zei ik.

Ik gaf de urn aan Faye.

Haar ogen waren nat maar haar mond glimlachte. 'Je mag best huilen, hoor,' fluisterde ze mij toe.

Ze goot ook wat as uit. 'Dag Olivier. We zullen je nooit vergeten. *Love you.*'

Luuk mocht het laatste restje uitstrooien. 'Jammer dat we niet kunnen spelen.'

Ik aaide Luuk over zijn haar. 'Goed gezegd, boef.'

Hij gaf het urntje aan mij terug. Er zat nog een klein restje as in.

'Zullen we dit houden?' stelde ik voor. 'Het is waarschijnlijk alleen zijn grote teen, maar dan hebben we nog íéts van hem thuis.'

Faye schoot in de lach. 'Goed plan,' zei ze door haar tranen heen.

We keken nog een poosje zwijgend naar de witte as.

'Wie heeft er zin in een broodje shoarma?' vroeg ik.

83

De blauwe felicitatieballon in de vorm van een babyvoet hing er nog steeds, toen ik met een gemengd zomerboeket het ziekenhuis in liep. Ik nam de trap naar de eerste verdieping.

Het was druk op Verloskunde. Er liepen mensen met opgewonden gezichten rond, uit de kamers klonk gehuil van baby's en gelach van volwassenen. 'Wat een drolletje,' riep een vrouw.

Ik zag zo snel niemand aan wie ik kon vragen waar Van Zwol was. Ze had dienst, was mij telefonisch verteld. Er zat niets anders op dan in elke ziekenhuiskamer te kijken.

Na een paar kamers zag ik haar aan het voeteinde van een bed praten met een vrouw die een baby in haar armen hield. Ik bleef weifelend in de deuropening staan, trachtte oogcontact te maken. Ze had een strak figuur zag ik nu eigenlijk pas, door de witte doktersjas heen. Wel wat korte benen.

Van Zwol keek onder het praten terloops naar links. Ze staarde mij even aan, herkende mij kennelijk en zei: 'Hé, hoi.' Tegen de vrouw zei ze: 'Een ogenblik.'

Ze liep de kamer uit. We gaven elkaar een hand.

'Dag Aleid,' zei ik. We konden elkaar nu wel tutoyeren, vond ik.

'Hoe is het met jullie?' vroeg ze. Zou ze mijn voornaam weten?

'Het gaat.'

'Ja,' zei ze, en glimlachte.

Er viel een stilte. Ik realiseerde mij dat ik het boeket nog vasthield.

'Ik wil jou en Nies bedanken voor alle goede zorgen en de manier waarop jullie ons door de bevalling hebben heen geloodst. Het heeft veel voor ons betekend en dat wilde ik jullie zo nog even laten weten. Vandaar.'

Terwijl ik haar het boeket overhandigde voelde ik een zeker ongemak bij Van Zwol. In haar hals verscheen een rode vlek.

'Of is dat raar?' vroeg ik.

'Nee,' zei ze. 'Integendeel. Maar je overvalt mij daar een beetje mee. Wat lief. Ik maak dit gewoon niet vaak mee, na zo'n trieste bevalling. Meestal hebben de ouders wel iets anders aan hun hoofd.'

Ik glimlachte en stak mijn hand uit. 'Ik zal je niet langer ophouden. We zien elkaar binnenkort bij het evaluatiegesprek.'

Er liep een man langs. Hij floot een bekend deuntje van Frans Bauer en droeg een pluchen Donald Duck van zeker een meter hoog onder zijn arm. 'Zo dokter, weer een tevreden vader?' riep hij joviaal, kijkend naar het boeket.

'Ja. Kon niet beter,' antwoordde ik.

Ik zei Van Zwol gedag en liep naar de trap, en langs de blauwe ballon naar buiten.

84

Donderdag 12:48 uur
Wat VRESELIJK! Lees net geboortekaartje. Heb je me nodig? Wel laten
weten dan hè, ik ben er voor je! Heel veel sterkte schattie! Kiss & hug Zen

85

Ingmar: 'Ja, die drie vaasjes zijn voor ons. Dank je. Je vergeet die vlammetjes niet, hè? Oké amigo's, proost. We drinken op Olivier!'

Ralph: 'Olivier, zoon van Tycho – één van ons. Dus automatisch onze zoon!'

Ik: 'En zo is het, verdomme! Mijn dode zoon is jullie dode zoon. Cheers!'

Ralph: 'Cheers, *mates*.'

Ingmar: 'Het leven zuigt, echt.'

Ik: 'Ja. Nou ja, niet altijd. Maar nu wel.'

Ingmar: 'Gaan we deze gore terreurdaad van moeder slash kindermoordenares natuur wreken?'

Ralph: 'Niemand neemt ons onze zonen af!'

Ingmar: '*Hear, hear*. Ook al heb ik er geen.'

Ik: 'Jammer?'

Ingmar: 'Ik had er wel een gewild, ja. Ach, meisjes zijn weer doller op hun vader. Straks staan er alleen wel van die engbekken voor de deur, die zo snel mogelijk in hun broekje willen.'

Ralph: 'Zoals wij waren dus.'

Ingmar en ik: 'Haha!'

Ik: 'Daar drinken we dan ook op. Op alle broekjes waar we ooit in gezeten hebben.'

Ralph: 'Op alle broekjes!'

Ik: 'Ik heb dit gemist, jongens. Jullie. De dorpskroeg. Lang niet geweest hier. Toch wel wat anders dan het Palladium. Hier hebben ze ranzige vlammetjes.'

Ingmar: 'Vette shit. Ze kunnen de cholesterol beter meteen in je aders spuiten.'

Ralph: 'We zien elkaar inderdaad te weinig. Gaan we daar eens wat aan doen?'

Ingmar: 'Helemaal voor.'

Ik: 'Oké, is genoteerd.'

Ingmar: 'Hier, neem een vlammetje, mislukte vader.'

Ik: 'Lul. Ja, graag.'

86

Hoewel ik de laatste weken het nodige gezopen had, paste mijn smoking nog. In de spiegel strikte ik mijn zelfbinder, en maakte ik mijn instappers extra glanzend door ze even een paar keer langs mijn kuit te wrijven. Mijn wallen waren erger geworden, ik zag er slecht uit. Vanavond ging ik weer aan het werk, na veertien dagen niets gedaan te hebben. Ik kon geen bloemstuk meer zien. Dat van Gregor – het grootste en bijna een kunstwerk – stond er nóg.

Het was heerlijk zomerweer. Dat kwam goed uit: het aperitief van het jaarlijkse Amsterdam Diner, ten bate van het Aids Fonds, vond plaats op een afgeschermd gedeelte van het plein voor de Heineken Music Hall, in Zuidoost.

Ondanks de ernstige ziekte was het een van de leukste feesten van het jaar, vooral door de mix van genodigden. Royalty prooostte met acteurs, politici dansten met tv-volk, en zangers dolden wat met dichters. Sinds je niet meer dood hoefde te gaan aan een hiv-besmetting was de sfeer nog uitgelatener geworden.

Een groot deel van de aanwezigen kende ik. Normaal had ik ze twee weken eerder op de Nationale Haringpartij op kasteel Nijenrode in Breukelen getroffen, maar precies die dag was Olivier geboren.

Nadat ik die ochtend fotograaf Aad had gebeld dat ik er niet bij kon zijn en waarom niet, was het nieuws daar als een lopend vuurtje rondgegaan, hoorde ik. Niet dat ik van ook maar iemand iets vernomen had. Maar met in de ene hand een haring en in de andere een glas bier is het ook moeilijk sms'en, dat snapte ik.

Ik liep een rondje over het buitenterrein, met een glas champagne. Op statafels stonden kaasstengels en af en toe maakte ik een tussenstop om er een te pakken.

De flûte leegdrinkend, bekeek ik wat er aan vips binnendruppelde. Veel gays en de *usual suspects*. Een ingetrouwde prinses, geflankeerd door een bijna-eeneiige modetweeling. De vrouw van een supermarkttycoon, die zich inzette voor het Aids Fonds. Een politicus en zijn eega, die normaal nooit meeging. Daar liep de tv-presentator met een onbekende, wat vrouwelijke jongen; even in de gaten houden zo. Een bestsellerschrijver smoesde wat met een vadsige tv-kok.

Ik zette mijn lege flûte neer. Werk aan de winkel. Eerst die presentator eens vragen wie die knaap met de nichtencoupe was, en of er iets speelde tussen hen.

Een B-zanger kwam op mij af. 'Tycho, pik!' riep hij amicaal.

'Ik kom zo bij je,' zei ik, en liep hem straal voorbij.

De tv-presentator hield vol dat zijn 'plus één' vanavond slechts een redacteur van zijn programma was. Daar had ik niets aan. Ik zou Aad morgenochtend wel even laten posten voor zijn huis, voor de zekerheid.

Daar liep de gevierde sterrenmanager. Hij wist dat ik vader zou worden, we hadden het er begin juni nog over gehad.

'Tycho! Ouwe rioolrat!' bralde hij. 'Hoe gaat het, koning? Verdien je nog wat munten met die laster van je?' Hij moest hard lachen om zichzelf, sloeg mij op een schouder, keek daarna om zich heen en fluisterde: 'Bel mij morgen even. Heb wat voor je. Scheidinkje. Ga jij héél leuk vinden.'

Ik zei dat ik hem zou bellen.

'Dat is wel even wennen, voor het eerst weer werken,' zei ik.

'Want?' zei de manager, druk zwaaiend naar bekende koppen.

'Ik zat twee weken thuis. Onze baby is dood geboren.'

'Wat? Kolere, man. Zomaar ineens? Godsamme, zeg. Wat een verhaal!'

De sterrenmanager keek om zich heen. Hij vroeg niet door.

'Ja, dat hakt er aardig in. We zijn er kapot van. Een jongetje, Olivier. Hij was klein, pas in de vijfde maand. Maar helemaal af. Hij leek op mij,' zei ik.

Ik zag hem zijn kaken aanspannen. Zijn demarrage volgde spoedig. Midden in een zin van mij over de crematie legde hij zijn hand op mijn schouder, en zei: 'Klote, man! Vreselijk. Ik ben er helemaal ontdaan van. Probeer maar een beetje te genieten vanavond, hè? Ik ga nog even naar de plee, voor het diner begint. Ik spreek je later, ik wil alles horen, hè!'

Hij liep linea recta op de hippe binnenhuisarchitect af, die hij tegenover mij laatst nog omschreven had als 'de engste treurnicht' in het Gooi. Ze omhelsden elkaar als oude schoolvrienden. Na tien minuten liepen ze samen de eetzaal in.

Ik liep op de prinses af. Ze wilde nooit praten met ons, maar dat kon mij weinig schelen. Onder het mom van wat korte vragen over het goede werk van het Aids Fonds, was ze misschien wel genegen mij iets te vertellen. De rest haalde ik dan wel uit oude interviews. Als ik het slim opschreef, kon ik er vast iets voor de cover van fabriceren. Ik sloot aan bij het groepje waarbinnen de prinses stond te praten. Telkens als ik tussenbeide wilde komen, nam iemand anders het gesprek over. Het zweet liep over mijn rug. Weer probeerde ik de prinses, die niet eens van koninklijken bloede was, een vraag te stellen toen ze opeens aan haar arm werd meegevoerd door iemand van de organisatie. Ik liep achter haar aan, en versnelde mijn pas om naast haar te komen, maar op dat moment werd ik staande gehouden door een beveiliger. 'U mag de prinses niet aanspreken en dat weet u!'

Ik moest aan tafel, maar ik liep de andere kant op, naar de uitgang. Die hypocriete aarsmaden bij elkaar, ik kon het niet opbrengen.

Ik reed mijn auto de parking uit, naar de McDonald's, vlak bij de oprit naar de A9. Ging ik daar wel even iets eten, al zou ik in mijn smoking met lakschoenen wel enigszins uit de toon vallen. Er liep echter net een touringcar vol jongens in trainingspak leeg, die juichend naar binnen liepen. Oké, dat ging 'm niet worden; ik had weinig zin om een uur in de rij te moeten staan.

Toen ik omkeerde, zag ik het Shell-tankstation. Daar hadden ze van die voorverpakte snacks. De wrap met kipkerrie had ik eerder genomen, die was niet eens zo slecht. Ik parkeerde aan de zijkant, en ging naar binnen. De winkel was leeg. Achter de kassa stond een man met een bril. Hij leek mij iemand uit India of Pakistan.

'Goedenavond, mijnheer,' zei hij gastvrij. Zijn stem klonk in elk geval oosters.

'Goedenavond,' zei ik terug, terwijl ik naar het schap met sandwiches liep. Er lagen nog wraps. Ik pakte er twee met kipkerrie en nam ook een flesje cola uit het schap.

'Deze graag,' zei ik tegen de man.

Hij hield mijn diner tegen een scanapparaat. 'Negen euro veertig, alstublieft. Heeft u airmiles, mijnheer?'

Ik gaf hem een tientje en de blauwe kaart, en deed de zestig cent wisselgeld in een rode collectebus van een of andere liefdadigheidsinstelling op de balie. 'Elk kind verdient een vakantie' stond erop. Ik plukte een biljet van vijftig euro uit mijn binnenzak en wurmde ook dat door de gleuf.

'U bent een kindervriend,' zei de man lachend.

Ik grijnsde flauwtjes, zette het eten op de balie, frommelde het plastic rond de wrap open, haalde de rol eruit en nam een hap. Toen ik een stuk had doorgeslikt, zei ik: 'Grappig dat u dat zegt. Ik stond namelijk altijd bekend als "de kinderhater".'

'De kinderhater? Hoe kun je kinderen haten, mijnheer?' zei de man.

'Dat kan heel goed. Heeft u kinderen?' vroeg ik.

'Nee. Ik hoop ze wel te krijgen. Maar ik heb nog geen vrouw gevonden.'

'Nou,' zei ik, terwijl ik een stukje kip met mijn tong vanachter mijn kies wegduwde, 'geniet daar dan nog maar lekker van. Het leven wordt er niet leuker op met een gezin.'

'Heeft u een gezin, mijnheer?'

'Ja. Een vrouw van veertig, een stiefzoon van acht en een doodgeboren kind van vijf maanden.'

Hij keek mij niet-begrijpend aan. 'Sorry, ik verstond u niet goed, denk ik. Zei u dat u een dood kind heeft?'

'Dat heeft u goed verstaan. Zo dood als een pier. Twee weken terug gebeurd.'

Ik nam nog een hap van mijn wrap. Er viel een stukje sla op mijn lakschoen en ik schudde met mijn voet.

Hij dacht even na. 'Wat verschrikkelijk, mijnheer. Maar ik begrijp het niet: uw kind was vijf maanden oud én doodgeboren.'

Ik veegde mijn mond af. 'Ja, sorry. Mijn fout. Hij is in de vijfde maand van de zwangerschap overleden. Gewurgd door zijn navelstreng.'

Er reed een Suzuki het terrein op, zag ik door het raam. Een vrouw stapte uit, las iets op het tankapparaat, stapte in en reed weg.

'We hebben een storing. Er kan niet getankt worden,' zei de Shell-man, die mij zag kijken. 'Vandaar dat het zo rustig is. Wilt u een kopje koffie? Van mij.'

'Lekker! Espresso,' zei ik. De cola en tweede wrap nam ik wel mee straks.

De man liep weg en kwam terug met twee kartonnen bekers, ik kreeg er een aangereikt. 'Mijn naam is Rohan,' zei hij.

Ik vertelde de man alles, sloeg geen detail over. 'Bedankt dat je naar mij wilde luisteren, Rohan,' zei ik, bijna een uur later.

'Graag gedaan. En voor mij bent u geen kinderhater,' zei hij, wijzend naar de rode collectebus op de balie.

Ik grijnsde, gaf hem een hand, pakte de wrap en de cola en liep naar de uitgang.

'U kunt hier altijd een gratis kop koffie van mij krijgen,' riep Rohan mij na.

87

'Als iemand je vraagt hoeveel kinderen je hebt, wat zeg je dan?'
vroeg ik Faye.

'O, liefje. Twee, natuurlijk. Hé, je bent vader geworden. Olivier
leek op jou, hij was een deel van jou. Een deel van óns. Hij heeft
bijna vijf maanden in mijn buik gezeten. Je hebt hem vastgehouden.
Hij is hier geweest. Vergeet dat nooit.'

IV

88

Op een zaterdagochtend beviel Pam van een zoon, Dean.

'Jens sms'te net een foto. Een erg mooi kind,' zei Faye.

Ik hoorde aan haar stem dat ze zich groothield.

Ze zocht de foto op. 'Kijk.'

Een puntgaaf koppie, donker haar.

'Ja, knap ventje,' zei ik, en las verder in mijn krant.

'Jens schreef dat Luuk niet bij hem weg te slaan is.'

'Ja, dat begrijp ik,' zei ik.

'Ik ga zo iets kopen voor Dean, en dan ga ik even langs. Ga je mee?' vroeg Faye.

'Nee, dank je.'

Faye zuchtte. 'Ik kan er ook niets aan doen dat zij een gezond kind hebben. Het is wel het broertje van Luuk,' zei ze.

'Het broertje van Luuk bij jouw ex. Wat hebben wij daarmee te maken?'

'Oké, laat maar. Deze discussie ga ik niet aan,' zei Faye.

Ze liep naar boven. Ik hoorde haar parfum opspuiten en wat rommelen in het badkamerkastje. Toen kwam ze weer naar beneden.

'Ik ga,' zei ze afgemeten.

'Oké. Groeten aan Dean.'

Ze trok de voordeur hard achter zich dicht.

Op de radio werd een nummer van Luther Vandross aangekondigd. 'Your Secret Love.' Heerlijk. Ik stond op van tafel en ging op de bank liggen.

Miguela. Doodzonde dat zij destijds zwanger had moeten worden. Wat had ik nog jarenlang kunnen genieten van haar kutje. Mijn pik wist het ook nog. Behoedzaam trok ik mijn rits naar beneden.

89

'Wat wil je van Luuk maken? Een Hurley wát?' had Faye gegierd, toen ik haar voor de zomer had voorgesteld om met hem op hockey te gaan, vooral om iets van ons samen te creëren. Ik vond het belangrijk dat Luuk aan teamsport zou doen, en stelde voor hem lid te maken van Hurley, de club waar mijn vader en ikzelf lid van waren geweest. Hoewel mijn pa later naar Bussum was verhuisd, was hij zijn club, waar hij al sinds zijn studententijd speelde, trouw gebleven.

'Hurleyaan,' articuleerde ik.

De Amstelveense hockeyvereniging in het Amsterdamse Bos was opgericht in 1932 en kende een rijke historie. Een van de prominente leden was verzetsstrijder Gerrit Jan van der Veen geweest – tot hij in juni 1944 gefusilleerd werd. Twee Hurleyleden waren ooit door het bestuur gesommeerd hun haar korter te knippen, op straffe van een acuut royement. Ik hield daar wel van. Dat mijn vader erelid was, kwam handig uit, gezien de lange ledenwachtlijst.

Faye moest nog steeds lachen. 'Een Hurleyaan. Weerzinwekkend! Ik weet niet of ik wel wil dat mijn kind dat wordt. Maar als jij dat per se wilt, ga je het maar regelen, liefje. Het kan inderdaad een hechtere band tussen jullie scheppen.'

Deze mistige zaterdagochtend floot ik voor de zoveelste keer voor shoot; een overtreding waarbij je de bal aanraakt met je voet.

Twee keer zes kindersmoeltjes keken mij op het met pylonen afgezette kwart speelveld apathisch aan.

Ik wees naar mijn rechtervoet. Sukkels. Ik had deze toch echt niet lastig te snappen overtreding al minimaal drie keer in kleutertaal uitgelegd.

Over het kunstgrasveld, omringd door een halve cirkel bruingeel gekleurde bomen, waaierden flarden nevel.

Ik floot de eerste helft van onze jongens E1 tegen het bezoekende Rood-Wit uit Aerdenhout. Zes van onze achtjarige zoons liepen verspreid over het veld. Herstel: vijf zoons en één stiefzoon.

Langs de lijn stonden vooral moeders. De meeste vaders lieten het afweten. Faye ook trouwens, ze mocht vandaag uitslapen. Op

Hurley werd enige druk uitgeoefend op de ouders om betrokken te zijn bij het jeugdhockey. Elke teamouder moest beschikbaar zijn voor het fluiten, het draaien van bardienst of, het woord alleen al, als fruitouder.

Fruitouder. Dan maar fluitouder.

De jongens speelden zonder enige bevlogenheid en zelfs de talentjes, onder wie Luuk, waren niet vooruit te branden. Ze klooiden en hakten er maar wat op los.

De teamouders, vier in totaal, stonden te ouwehoeren en te lachen, happend in een broodje kroket of blazend in een kartonnen beker. Och, wat hadden ze een lol. Op enige interesse in hun kinderen op het veld kon ik ze echter niet betrappen.

Bal over de achterlijn. Ik floot.

Ik stond hier dus als enige niet-vader, zonder eigen kind, voor de zoveelste keer, dit ploegje stakkers te fluiten omdat de échte vaders er geen zin in hadden.

Hier had ik over een paar jaar Olivier gefloten.

Toen ik floot voor rust en naar onze teamouders toe liep, vroeg een moeder, die alternativo met altijd zak-van-Max-kleding aan, hoeveel het eigenlijk stond.

'Had je misschien wat beter op moeten letten, kutje,' antwoordde ik.

Ze twijfelde waarschijnlijk even of ik een grof grapje maakte, want ze neigde naar iets wat op lachen leek.

Haar man had mij kennelijk wel verstaan. 'Wat zeg jij nou?' vroeg hij.

'Had je misschien wat beter op moeten letten, kutje,' herhaalde ik.

De andere twee teammoeders, een met een bomberjack van Moncler aan, de ander in een trendy trainingspak met bontlaarzen, kwamen er nu ook bij staan, als muggen aangetrokken door een halogeenlamp. Een opstootje! Achter hun rug luisterden de jongens mee, happend van een banaan, het hockeyfruit van de dag.

'Noem jij mijn vrouw kutje?' zei de man, terwijl hij mij dreigend aankeek.

'Excuus Goos, dat was niet goed. Ik bedoelde: enorm dikke, domme kut.'

'Nou ja zeg! Wat is dit?' riep de bekakte bontlaarzenmoeder ge-schrokken.

De bomberjackmoeder keerde zich om naar de kinderen en zei: 'Kom jongens, ik schenk nog even wat fris water voor jullie in. We gaan een stukje verderop staan.'

'Waarom noemt Tycho mama een domme kut?' vroeg teamspeler Wisse. De rest van het team kwam erbij staan, ondanks de poging van de bomberjackmoeder om ze de andere kant op te bewegen.

Ik keek het joch vriendelijk aan. 'Omdat je moeder dat ís, Wisse. Het spijt me vreselijk, ik kan er niets anders van maken. Weet je waarom? Omdat zij en al die anderen hier een kind hebben, en dat op hockey doen. Niet omdat ze langs de lijn naar jullie gestuntel willen kijken, maar omdat ze met elkaar willen kletsen over dat jul-lie naar het Barlaeus gaan, of zo prachtig kunnen vioolspelen. Maar even een paar minuten naar jullie kijken, ho maar. Een keer fluiten? Nee, dat hebben ze nooit geleerd, veel te eng. Daar hebben we Ty-cho voor. Die doet het wel. Hij heeft zelf geen kind, dus hij kan toch nergens over meepraten. Laat hem maar lekker die jongens proberen wat bij te brengen, dan kunnen de papa's en mama's papa en mama spelen zonder er verder iets voor te hoeven doen. Maar weet je, Tycho is er klaar mee. Tycho zegt: zoek het lekker uit! Tycho zegt: lik allemaal me reet! Jij niet hoor, Luuk. Tycho stopt ermee. Ik heb schoon genoeg van dat sneue cluppie hier.'

Ik wierp mijn wedstrijdfluit op het dak van het clubhuis en zei tegen Luuk, die mij met een open mond vol banaan nakeek, dat hij mama moest bellen of ze hem straks kon halen.

'Ga hulp zoeken, idioot!' riep Goos mij na, terwijl ik door het hek naar buiten liep, naar mijn auto, die daar onder de bomen stond.

Ik kon nog net zien hoe hij een arm om Luuks tengere schouders sloeg. Ik trok de deur van de Alfa dicht, stak de sleutel in het contact-slot en drukte op de startknop.

90

De herfst had aardig huisgehouden in de vlindertuin in het stadspark in Zuid; de aanplant was op bepaalde plekken reeds kaal.

Ik stond voor de boom met de drie zijtakken en staarde naar de grond, naar de plek waar we bijna vier maanden terug Olivier hadden verstrooid. De struik waar hij onder lag, was gesnoeid. Slechts wat kale takjes staken uit de grond. Er lagen nog enkele witte spikkels op de aarde. Asresten, nam ik aan. Mijn broekzak trilde – een sms.

Zaterdag 13.03 uur

Waar ben je, liefje? Ik maak mij zorgen. X

'Ik heb iets ontzettend stoms gedaan net,' zei ik tegen de gekortwiekte struik. Ik ademde diep in door mijn neus en ging op het bankje bij de boom zitten, mijn ellenbogen op mijn knieën, mijn hoofd in mijn handpalmen.

Ik was bekaf. Achter mij kwetterden vogels.

Dit was het dan. Daar lag mijn zoon. Al die moeite voor niets. Hij bestond gewoon niet meer.

Ik had gedacht dat het makkelijker zou zijn. We waren een baby verloren in de vijfde maand, en ik merkte dat zoiets niet voor iedereen een serieus te nemen drama was. Het was veel erger als je een kind verloor tijdens de geboorte, of als het al een paar maanden in een wieg had gelegen.

Mijn telefoon trilde in mijn zak. Faye. Ik nam maar op.

'Liefje, ik maak me ongerust, waar ben je?' vroeg ze.

Haar stem knakte mij. Mijn schatje. Ik wilde haar armen om mij heen. Ik wilde haar horen zeggen dat het goed kwam.

'Bij Olivier,' huilde ik.

91

Barbapapa40
Status: online
Lieve Olivier,
Vandaag, 16 november, zou je volgens de planning geboren worden. Nu kan het weleens een paar dagen, soms zelfs weken schelen, maar als zoon van mij zou je vast op tijd zijn gekomen ☺ Mama (die niet weet dat ik dit schrijf trouwens) en ik denken veel aan je. De dokter zei dat je gezond was, maar ik kan maar moeilijk geloven dat we gewoon alleen maar heel veel pech hebben gehad. Je broer Luuk vraagt vaak naar je. Hij hoopt dat je nog steeds beschermd wordt door die krokodil die hij voor je getekend heeft. Ook is hij een beetje bezorgd of Zoef wel vriendjes heeft, daar waar jij nu bent.
Oké lieverd, weet dat ik je nooit zal vergeten. Blijf je een beetje op ons letten?
Dikke kus van papa

92

Faye en ik waren op weg naar de vrouw die innige contacten onderhield met het hiernamaals: Bertine Meijer. Ze was een van de finalistes geweest in een veelbesproken tv-programma waarin zelfbenoemde paranormaal begaafden de strijd met elkaar aangingen.

De helderzienden moesten met behulp van hun hotline met 'het hogere' informatie over meestal gruwelijke moorden ophoesten die de waarheid zo dicht mogelijk zou benaderen. Nabestaanden van de omgebrachte personen vormden daarbij de jury.

Bertine wist ontzettend veel, al geloofde ikzelf geen snars van heel dat programma. Ik liep lang genoeg mee om te weten dat bijna niets is wat het lijkt in de wereld van het entertainment; in de jacht op hoge kijkcijfers is er veel geoorloofd.

Nu wilde het geval dat ik iemand kende die zichzelf had opgeworpen als manager van Bertine – hij voorzag kennelijk dat hij een aardige grijpstuiver aan haar zou kunnen gaan verdienen.

'Jij hebt toch een kind verloren? Ben je niet geïnteresseerd in hoe het met hem gaat?' vroeg hij mij een keer.

'Geloof je die onzin zelf?' had ik verbeten gereageerd. 'Wat een lompe vraag trouwens.'

'Zo bedoelde ik het niet. Maar als jij een keer een leuk interview regelt, zorg ik ervoor dat je een privéreading krijgt,' had hij gezegd. 'Kost Jan met de pet inmiddels al vijfhonderd euro. Denk er gewoon eens over na.'

Dat hoefde ik niet. Ik wilde niets met die lijkenpikkers te maken hebben.

Faye dacht daar anders over, toen ik haar vertelde over die manager van Bertine. 'Ik zou daar best wel een keer heen willen. Die vrouw wist echt veel. Misschien kan ze ook contact krijgen met mama.'

'Geloof jij die bullshit? Die mensen teren op emoties van kwetsbare mensen die veel te veel zelf vertellen. Ik wil daar niet mee geassocieerd worden.'

'Daar ben je anders ook niet zo mee bezig, als je weer een of andere flutartiest de grond in schrijft,' zei Faye.

'Dat is wat anders. Dit gaat om het uitbuiten van verdriet, zonder ook maar één greintje bewijs. Ik ben ooit bij zo'n figuur geweest, een vriendin van Zenna, daar kwam ook alleen maar prietpraat uit.'

Ik pauzeerde even.

'Daarbij wil ik er gewoon niet meer mee bezig zijn, Faye. Het is fout gelopen. We moeten ermee leren leven.'

'Ja, dat weet ik heus wel. Maar ik geloof er misschien wél in. En jouw moeder leeft nog. Ik heb inmiddels de mijne en ons kind gecremeerd,' zei Faye. 'Wil je er niet nog eens over nadenken? Doe het anders voor mij dan.'

Dus joeg ik mijn Alfa richting Swifterbant, een mij onbekend dorp voorbij Lelystad. Voorbij alles, leek het. De omgeving deed mij denken aan een sciencefictionfilm. Als je vanuit de bewoonde wereld op de A6 de afslag Swifterbant nam, kwam je terecht op een eenbaansweg. Waar je ook keek, overal zag je windmolens staan in het vlakke polderlandschap.

We kwamen het polderdorp binnenrijden via een weinig uitnodigend bedrijventerrein. Swifterbant bestond voornamelijk uit verkeersdrempels, twee-onder-één-kaphuizen en boerderijachtige nieuwbouwvilla's.

Aan de rand van het dorp, in een doorzonwoning met blauwe kozijnen, woonde volgens mijn navigatiesysteem ons prijswinnende medium. Op het bordje naast haar voordeur stond 'Spiritueel Centrum Swifterbant'.

'Toe maar,' lachte ik.

'Ssst,' siste Faye.

Bertine zag eruit als op televisie: blond, vlassig haar in een paardenstaart, grote blauwe ogen en de halsketting met het kruis. Ze droeg bemodderde kaplaarzen, zag ik. Ze zag dat ik het zag.

'Ik heb in de tuin gewerkt,' zei ze.

Onze gele rozen vond ze prachtig, maar ze waren 'niet nodig' geweest.

'Ik zet ze even in een vaas. Ga lekker zitten in de praktijk,' zei Bertine, terwijl ze naar een openstaande deur wees.

Nieuwsgierig liepen Faye en ik naar binnen. Los van een torentje boeken over zichzelf op een grenen tafel, verraadde de inrichting weinig spiritueels. Ik had geen glazen bol of een opgezette uil verwacht, maar dit leek wel heel erg op een doorsnee boekhoudkantoor. Faye en ik namen plaats op de twee stoelen voor de tafel, die ik herkende uit de gids van Ikea.

Bertine slofte op pantoffels binnen, met in haar handen een dienblad met twee thermoskannen, twee mokken, twee lepeltjes en wat suikerklontjes en Completastaafjes. Op een schotel lagen drie Bastognekoeken.

'Koffie en thee. Rood koffie, zwart thee.'

Ze ging op de bureaustoel op wielen achter de tafel zitten.

'Wat kan ik voor jullie doen?'

'Wat krijg je over ons door? Wat je op tv altijd binnenkreeg, zeg maar,' begon ik. 'Je zult toch sterk aanvoelen waarom we hier bij jou...'

Bertine onderbrak mij abrupt. 'Zeg, waarom zie ik twee baby'tjes om jou heen zweven? Heb je miskramen gehad?' Ze trok haar kin iets omhoog en keek Faye onderzoekend aan.

Oké: één-nul voor de helderzienden.

Faye werd rood. Ik probeerde mij voor de geest te halen wat die kennis die ons had opgezadeld met Bertine allemaal wist. Over die eerdere miskraam van Faye had ik het volgens mij nooit gehad.

'Shit, daar ga ik al. Sorry,' snotterde Faye. 'Ik heb een miskraam gehad, en een doodgeboren...' Ze aarzelde kort. 'Of kan ik dat beter niet vertellen?'

Bertine glimlachte minzaam. 'Maakt niet uit. Ik krijg uiteindelijk door wat ik doorkrijg. Het is geen raadspelletje.'

Faye knikte en haalde haar neus op. 'We zijn in juni ons kindje verloren, een jongetje. Olivier. Daarvoor had ik een miskraam. Ik zou wel meer willen weten daarover. O ja, en over mijn moeder. Die is drie jaar terug overleden. Ik wil zó graag weten hoe het met haar gaat. En of ze ervan af weet, dat we een zoontje hebben verloren.

Ze heeft vlak voor ze doodging gezegd dat ze een teken zou geven, waardoor ik zou weten dat zij het is. Zelf dacht ze als vlinder terug te komen. Daar was ze dol op. Zo'n oranje-bruine. Nu heb ik die een paar keer gezien. Maar of zij dat nou was?'

Bertine leunde achterover in haar bureaustoel. Ze keek naar het plafond. Toen deed ze langzaam haar ogen dicht en weer open. Net echt.

'Niet schrikken,' zei Bertine toen tegen Faye. 'Je moeder staat achter je. Ik zie haar scherp. Beeldschone vrouw. Schitterende bos krullen. En ze...'

Faye onderbrak haar aarzelend, met een blos in haar hals. 'Mijn moeder had geen krullen. Weet u zeker dat zij het is?'

Bertine keek haar strak aan. 'Nou en of. Ik voel aan alles dat zij het is. Ze heeft écht lang, krullend haar,' zei ze. 'En zeg trouwens maar "je", hoor.'

'Maar krullen heeft ze nooit gehad. Mama had juist kort steil haar.'

Bertine bleef erbij. 'Ik zie toch wat ik zie. Deze vrouw, je moeder, heeft krullen. Ik voel aan alles dat zij het is. Dat je haar nog weinig om je heen hebt gevoeld, klopt. Ze is nog niet toe aan zulke verschijningen, geeft ze mij door. Je moeder heeft nog geen vrede met het feit dat ze dood is. Ze was daar nog niet klaar voor en wil eerst haar draai op haar nieuwe bestemming een beetje vinden, voordat ze zich manifesteert in jouw leven. Maar dat gaat ze doen. Daar kun je van op aan! En, wat ze trouwens…'

Midden in haar zin greep Bertine met haar handen naar haar hals. 'Arrrggghhh!' klonk het gorgelend uit haar keel. Faye en ik keken elkaar aan. Het zag er angstaanjagend uit en klonk niet bepaald smakelijk. Bertine reutelde door. 'Gèègghhòchòchhùh!'

Ineens liet ze zichzelf los. Ze keek ons wazig aan en schudde kort haar hoofd. 'Jullie kind is gestikt. Ik kreeg het ineens door. Vreselijk. Ik voelde hoe strak het zat. Hij is gewurgd door zijn navelstreng. Wisten jullie dat?'

'Ja. En nog een paar mensen,' zei ik.

Bertine ging niet in op mijn spottende toon en de vertwijfelde blik van Faye.

'Wat jullie nog niet wisten, is dat Olivier een hartafwijking had. Hij was niet gezond. Ook als hij voldragen was geweest, was hij een zorgenkind geworden. Olivier wilde dat jullie niet aandoen. Hij heeft hier zelf de hand in gehad. Om jullie later een hoop ellende te besparen.'

Ik keek Faye aan. Ons kind was én hartpatiënt én had zichzelf min of meer opgehangen in de baarmoeder, om ons leed te besparen? Prenatale zelfmoord?

'Opmerkelijk. Uit de vruchtwaterpunctie bleek dat hij kerngezond was,' zei ik.

Bertine hoorde het al niet meer, of deed alsof. Ze was niet te houden.

'Faye, Olivier wist dat jij eigenlijk nog niet klaar was voor een kind. Je had nog niet alles uit het verleden verwerkt. Lichamelijk was het geen probleem, geestelijk wel. Je was er nog niet aan toe. Er zat zó veel intens, jarenlang verdriet in jou. Klopt, hè?'

Faye knikte. Ze leek wel in trance.

'Ja, hè? Dat voelde hij,' zei Bertine op zalvende toon. 'Dáárom besloot hij om niet te komen. Dat was een daad van pure liefde. Olivier wilde verdergaan als jullie beschermengel. Hij had de belangrijke taak om over jullie te waken. Hij ís nu bij je moeder. Ze hebben elkaar gevonden. En hij heeft het erg naar zijn zin.'

'Weet je van welke soep mijn schoonmoeder hield?' vroeg ik.

Bertine zei dat zulke details 'in het hogere' geen rol speelden.

Het medium gooide het stoïcijns over een heel andere boeg: het was kennelijk tijd voor wat meer luchtigheid.

'Olivier is wel een olijk mannetje, zeg! Hij heeft veel humor. Maar hij is óók een boefje. Hij vindt het enig om de boel soms eens lekker in de maling te nemen.' Ze knipoogde naar mij. 'Heeft ie van jou, hè? Maar zijn oma houdt hem in de gaten. Als het te dol wordt, grijpt ze in. En hij vindt het prettig als jullie over hem praten. Dat is hem nooit genoeg. Hij hoort alles. Blijf dat doen. Hij wordt daar héél blij van!'

Tegen Faye: 'Je moeder zal je echt nog laten voelen dat ze er is, let maar op. En Olivier ook.'

Faye depte haar ogen. Ze glimlachte en wees naar mij. 'Nu iets over hem.'

Ik vond het echter een gepast moment voor de hamvraag. 'Bertine, jij lijkt alles te weten, het is onvoorstelbaar. Vertel op: zie jij in de toekomst nog een zwangerschap voor ons?'

Het medium grijnsde breed, en ging met een tevreden blik achterover zitten.

'Ik heb het leukste voor het laatst bewaard. Ja! Ik zie nog een kind bij jullie! Een kerngezond kind! Dat gaat absoluut gebeuren. Ik denk dat…'

'Echt? Zie je dat écht?' Faye kwam omhoog van haar stoel.

Bertine boog zich over de tafel, pakte Faye's rechterhand vast. 'Ja, ik zie dat echt. Geloof me maar. En zal ik je eens wat vertellen? Je moeder houdt dat baby'tje al in haar armen. Het is voor jullie! Tot de tijd rijp is, is het daar veilig. Het komt!'

'Heb je misschien enig idee wanneer?' vroeg ik.

'Ik snap dat je dat wilt weten. Maar ik krijg nooit exacte tijdstip-
pen door. Zelf heb ik zomaar het idee dat het al binnen anderhalf
jaar zou kunnen zijn. Is dat fijn nieuws of niet?'

Faye keek mij zielsgelukkig aan. Ik wilde het zelf ook graag geloven.

'Wanneer zouden we dat interview met mij kunnen doen?' vroeg
Bertine toen ze ons uitliet.

93

'Ik ben overtijd. En de pindakaas ruikt vreemd,' zei Faye, toen ze boterhammen smeerde voor Luuk, die boven aan het douchen was. 'Ik wil verder niets zeggen, maar...'

'Maar wat? Denk je dat je weer zwanger bent?' vroeg ik.

Faye draaide zich naar mij om. 'Mijn borsten zijn ook gevoelig.'

Ik kreeg het warm. 'Moet ik een test halen? Dan zet ik Luuk daarvoor wel af op school.'

Faye keek naar de trap. We hoorden Luuk nog bezig in de badkamer. 'Ja, doe maar. Ik ben bloednerveus,' zei ze.

Het buikgevoel van Faye bleek zuiver. Toen ze het staafje vijf seconden in een plastic beker met haar plas had gehouden, gaf de extra gevoelige test die ik op haar aanraden gekocht had geen enkele marge voor twijfel: Faye was weer zwanger.

Ze sprong mij om de hals. 'Ik wist het! Ik wist het!' juichte ze.

'Wat? Wat wist je?'

'Dat het nog een keer ging lukken. Ik wist het gewoon! We krijgen echt nog een Valentine of Valentijn. Dat verdienen we toch ook, na Olivier en al die shit?'

'Ja, eh, nee, natuurlijk,' stamelde ik, nog steeds verbaasd.

'Ben je wel blij?' vroeg Faye, terwijl ze wat achterover leunde in mijn armen en met haar hoofd schuin naar mij keek.

'Het overvalt mij een beetje, misschien.'

Faye pakte de test. 'Je gaat weer vader worden, allerliefste!'

Ze kuste mij op de mond. Ik voelde haar tong, maar duwde haar van mij af.

'Maar het is toch nog echt heel erg pril?'

'Ja, dat is wel zo. Maar ik voel zoveel dingen die ik ook had toen ik zwanger was van Olivier. Echt! O, schat, ik wil het doen! Hier en nu. Ik ben héél erg geil.'

'O, oké. Ja, lekker. Maar kan dat geen kwaad dan?' vroeg ik. 'Ik bedoel...'

Faye was al bezig mijn broek los te sjorren. 'Nee, kan geen kwaad. Kom op!'

'Je deed het toch rustiger dan normaal,' zei ze, een kwartier later in mijn armen.

Dat kon ik van haar niet zeggen. Zó opgewonden had ik Faye niet heel vaak spontaan meegemaakt. Ze was zonder enig voorspel op mij gaan zitten, en was uiteindelijk intens klaargekomen.

'Ik moest er gewoon steeds aan denken. Zou alles wel goed vast-zitten bij je?'

'Je weet toch nog wat Van Zwol zei, dat een foetus daar niets van meekrijgt?'

Ze vlijde met een gelukzalig geluid haar hoofd op mijn borst, maar kwam meteen weer omhoog. Ze lachte. 'Hé, die Bertine had het wel goed gezien! Zullen we haar een kaart sturen?'

'Schatje,' zei ik, 'ik wil echt geen spelbreker zijn, maar laten we eerst eens afwachten hoe alles gaat. Misschien moeten we Rombouts nog maar even niet inlichten.'

Faye legde pruilend haar hoofd weer neer. 'Het lijkt wel of je het niet wilt.'

Ik streelde haar. 'Jij weet wel beter. Maar ik vind dat we te hard van stapel lopen door ervan uit te gaan dat we over acht maanden samen een kind hebben. Laten we het afwachten. We hebben straks genoeg momenten om te juichen.'

'Zuurpruim!' zei Faye. Ze kneep in mijn pik. 'En, zit er nog een rondje in?'

Twee weken na de test: roze afscheiding, buikkrampen, rood bloed, bruin bloed, zwart bloed, miskraam, echo in het ziekenhuis, alles was eruit, opstaan en door.

V

94

Het krijgen van een miskraam was zo'n beetje lopendebandwerk geworden. Binnen vijf maanden konden we er nóg twee afvinken. De ene in de zesde, de andere in de zevende week.

Het leek wel of Faye was uitgerust met een baarmoeder die met groene zeep was ingesmeerd; de bevruchte eitjes glibberden er zonder pardon zo uit. Onze wc werd een wildwaterbaan voor embryo's.

Op advies van dokter Rombouts lieten we bij een vruchtbaarheidsspecialist in het VUmc middels een inwendige echo nogmaals Faye's eierstokken taxeren.

We moesten er 'maar niets meer' van verwachten, was de diagnose: Faye had nog amper eitjes en wat er zat zou waarschijnlijk door haar leeftijd kwalitatief niet goed genoeg zijn voor een succesvolle bevruchting.

Met mijn sperma, dat ik ook daar had ingeleverd, was niets mis. A-kwaliteit!

De week voor Vaderdag kreeg Faye weer last van pijnlijke borsten. Ze moest om de vijf minuten plassen, ook al dronk ze niets. Ze wilde mij slaan, zomaar. Ik zei niet eens wat. Ze had doorlopend honger. Ze moest spontaan janken om een paginagrote kortingsadvertentie van Albert Heijn.

'Luister,' zei Faye, een dag voor Vaderdag. 'We kopen een test. Die doen we morgen. Als het zo is, weet ik zeker dat het deze keer écht lukt – het is een teken!'

Die middag kocht ik weer eens een test in het winkelcentrum. De drogist zei er niets van, maar hij leek te zuchten toen hij het langwerpige doosje in een zakje stopte en het aan mij overhandigde.

'Anders nog?' vroeg hij. Zag ik daar medelijden?

'Een potje foliumzuur. Doe maar de grootste,' zei ik.

De volgende ochtend moest Faye op de wc haar slip nog ophijsen, toen er na de controlestreep meteen al een het-is-keihard-raak-streep oplichtte. We doken terug in bed en Faye kroelde tevreden tegen mij aan.

'Fijne Vaderdag, papa! Deze gaat hem worden. Ik voel het aan alles!' zei ze, zo blij als een kind.

'Daar hou ik je aan, liefje. Nog even en we moeten embryobelasting betalen,' zei ik grinnikend. 'Maar als deze óók mislukt, laat ik die waarzegster liquideren.'

Twee weken later belde Faye mij op een middag. 'Ik heb bloed,' klonk het zacht.

Die avond zaten we toch nog verslagen naast elkaar op de bank – routine of niet.

'Als het ons niet gegeven is, dan is dat zo. Wat kunnen we eraan doen? Voel je nou niet schuldig,' zei ik.

Faye zocht somber mijn armen op. 'Ik weet zeker dat je er op een bepaald moment genoeg van hebt,' zei ze na een poosje.

'Waarvan?'

'Van mij. Van alles. Dat je geen eigen kind hebt. Je zegt steeds wel dat het je niet uitmaakt, en dat je van mij houdt, maar ik zie toch zelf wat het met je doet?'

'Schatje, hou eens op,' zei ik.

'Misschien moet je mij en Luuk maar vergeten en een andere vrouw zoeken. Je zou een fantastische papa zijn, ook al heb je jezelf wijsgemaakt dat je dat niet in je hebt. Je doet altijd stoïcijns, maar ik zie je blik gewoon verzachten als er een kind op je radar verschijnt. Helemaal als het een schattig jochie is, van de leeftijd die Olivier nu zou hebben. Ik zie het toch zelf?'

Faye tilde mijn armen van haar af, sjokte naar de keuken, opende de ijskast, haalde er een fles wit uit, pakte twee glazen, schonk die op de salontafel in, gaf mij een glas en ging met het andere in haar hand weer naast mij zitten. Ze zuchtte diep.

'Het enige voordeel van dit alles is dat ik weer kan drinken.'

Ik zei niets. Nam een slok.

'Je gaat het mij vroeg of laat kwalijk nemen, dat ik je geen vader heb kunnen maken,' zei Faye. Ze keek mij aan, wreef over mijn bovenbeen. 'Echt, liefje.'

'Wat kan en moet ik hier nou tegenin brengen?' protesteerde ik. 'Het lijkt wel of je ergens op aanstuurt. Hou op daarmee. Je onderschat mijn gevoelens voor jou. En voor Luuk trouwens.'

Faye nestelde zich weer tegen mij aan. Ze legde haar hoofd op mijn schouder.

Op de radio trok Gino Vannelli alle registers open. Iets met luide sirenes en ene 'Jack'.

Ik zette de radio uit.

'Ik zou kapotgaan, maar als je werkelijk een onbedwingbare vaderwens hebt, moet je een vruchtbare vrouw zoeken. Al moest ik vijftig miskramen doorstaan om je één gezond kind te kunnen schenken, dan deed ik dat. Echt. Maar die paar armetierige roteitjes die ze zagen, zijn verschrompeld. Mijn kippenhok is één stofnest. Wat moet jij daar, als goedlopende zaadfabriek?'

We schoten gelijktijdig in de lach.

'Dus jij weet voor honderd procent zeker dat je mij een andere vrouw zou gunnen om vader te kunnen worden?' vroeg ik, Faye strelend.

'Ja,' zei Faye. Ik draaide haar naar mij toe. Keek haar aan. Haar ogen waren vochtig. 'Ja,' herhaalde ze. 'Dat weet ik honderd procent zeker. Ik weet niet hoe lang ik het nog volhoud om elke maand zwanger te kunnen zijn en het vervolgens weer te verliezen.'

'Ja,' zei ik. 'Dat snap ik.'

We bleven een poosje zwijgend zitten. Ik wiegde Faye zachtjes in mijn armen.

'Tycho, ik ben als de dood om je kwijt te raken. Je drukt al je gevoelens weg.'

Ik keek door de schuifpui naar buiten, en dacht na over wat Faye had gezegd. Toen zei ik: 'Ik vind het echt ongelooflijk lief van je. Ik zal erover nadenken.'

Aan Faye te zien, was dat geloof ik toch niet helemaal waarop ze gehoopt had.

95

Babe! Te lang geleden. Na alle shit nu weer een keer tijd voor wat gezelligheid. Ik wil je ook graag aan Faye voorstellen. Sms ff wat data, doen we een hapje in de stad. Zin in! X Tycho

96

Gregor en ik zaten op de redactie in zijn aquariumachtige kamer met de deur dicht te brainstormen over coveronderwerpen. Er kwam weinig nieuws uit het wereldje.

'Vroeger sprong er nog weleens iemand van een hotel af,' klaagde Gregor. 'Zit daar nog iets in?'

'Dat we een lijst publiceren van sterren van wie wij graag zouden zien dat ze op korte termijn van het Philipsgebouw af duiken? Dat is volgens mij het hoogste in de omgeving. Een top tien? Zoiets?' zei ik grijnzend. Het was grappig bedoeld.

'Voor de trein reken ik ook goed,' zei Gregor.

Hij leunde achterover en sloot zijn ogen, de vingertoppen van beide handen tegen elkaar. Dat deed mijn hoofdredacteur altijd als hij nadacht. Ik had het idee dat hij dit nog als serieus onderwerp zag ook. Had ik mijn mond maar gehouden.

Gelukkig bedacht hij een beschaafdere variant. 'Jij hebt wel iets met begraafplaatsen, toch? Hoewel, was dat zoontje van je niet ge-cremeerd? Oké, misschien is dit toch iets,' zei hij. 'Er zijn de laatste jaren de nodige artiesten overleden. Van sommigen jammer, van anderen wist ik eerlijk gezegd niet eens dat ze nog leefden. Afijn, je weet hoe zo'n uitvaart gaat. Mooi vers gedolven graf, prachtige bloemen, linten, ontroerende woorden, gesnotter, la-die-da-die-da, enzovoorts. Kop koffie, paar borrels, bittergarnituur, mensen worden aangeschoten, emotioneel, hangen sterke verhalen op, vinden het best gezellig, toosten nog één keer op de overledene. Maar er is een tijd van komen en een tijd van gaan. Poppetje gekeken, kissie dicht. Iedereen naar huis, en dat was het dan. Op naar de volgende uitvaart.

Mee eens? Goed. Waar ik nou zo razend benieuwd naar ben: hoe liggen die graven er na een jaar bij? Na vijf jaar? Na tien jaar, als dat voor je verhaal beter uitkomt?' Gregor keek mij aan met een blik of het onderwerp hem al weken bezighield.

'Ik stel voor dat je in ons archief een stuk of wat dode artiesten opgraaft, haha, opgraaft, zeg zes à acht, niet te veel, ik moet van die pennenlikkers boven tegenwoordig ook al aan de kilometerkosten denken, die amateurs, en dat je met Aad voor wat treffende foto's de begraafplaatsen afgaat om te kijken hoe die graven erbij liggen. Met wat mazzel is er een aantal flink verwaarloosd, dan kun je aansluitend verhaal halen bij de nabestaanden hoe dat kan. Misschien zijn er financiële problemen. Heb je meteen een mooie follow-up voor de editie daarna, mits die artiest in kwestie een beetje coverwaardig is. Was. Zal ik vier pagina's indelen? Of heb je meer nodig? Ik heb plek.'

'Doe maar vier. Ik ga er eerst maar eens even wat research voor doen.'

Het was, in Gregors humorgenre, niet de meest diepgravende opdracht uit mijn carrière, maar mijn uiteindelijke coverstory SCHANDE! ZÓ LIGGEN ONZE VIP-DODEN ERBIJ! deed nog de nodige stof opwaaien in andere media. Men sprak daar juist schande van óns verhaal, wat voor Gregor het bewijs was dat we ons werk goed gedaan hadden. Ik voelde voldoening, de oude Tycho kwam langzaamaan weer terug.

De natuur had ons aardig geholpen bij de meeste graven; er waren er maar weinig bij die niet overwoekerd waren door klimop, of bedekt onder kale heide. Fotograaf Aad had bij een bijna steriel graf van een ooit populaire toneelacteur voorgesteld om iets uit het zakje McDonald's-afval uit zijn auto te vissen en dat 'geloofwaardig' over het graf te verspreiden. Maar dat vond zelfs ik te ver gaan.

Wie niet blij bleek te zijn, was een nabestaande van een dichteres, wier grafsteen – een combinatiekunstwerk van in Venetië geblazen glas en schelpen uit Zeeland – in mijn verhaal was afgebeeld zonder de kunstenaar van de zerk erbij te vermelden.

'U overtreedt het auteursrecht! Daarnaast is het buitenproportioneel verwerpelijk dat u het graf van mijn tante misbruikt voor uw ranzige blaadje!' fulmineerde de beller door de telefoon.

Gregor had hem te woord gestaan en nog meer olie op het vuur gegooid door zijn 'verbijstering' uit te spreken over het 'aartslelijke kunstwerk' dat het graf 'kennelijk' voorstelde.

Dat we de naam van de kunstenaar niet vermeld hadden, deed hij af als een vormgevingsfoutje. 'Zijn naam bleek weggevallen in de laatste versie. Die dingen gebeuren,' loog hij tegen de nu bijna huilende neef, die nog uitriep dat de kunstenaar helemaal geen man maar een vrouw was.

'Wat een heerlijk vak hebben we toch!' riep Gregor handenwrijvend naar mij, nadat hij de man had weggedrukt.

Ik beaamde dat luid lachend en besefte dat ik het de laatste tijd erg gemist had.

97

Nadat we elkaar beneden bij de bar begroet hadden, wat onwennig, kregen Faye, Zenna en ik in het drukke vleesrestaurant in de Van Baerlestraat een tafel boven toegewezen.

Ik groette een schrijver, die een paar tafels verder innig zat te doen met een kindvrouwtje, niet zijnde zijn echtgenote. Hij keek niet eens betrapt. Dan vond hij het vast ook niet heel erg dat ik fotograaf Aad sms'te dat hij hier zat met een ongeïdentificeerd object. Misschien kon die straks vanaf de overkant wat paparazzibeeld maken, als de schrijver het restaurant verliet met zijn gezelschap – wie weet naar een hotel.

Bij het aan tafel gaan, ging Faye naast Zenna op de bank zitten. Ik ging op een stoel tegenover hen zitten. Zenna haalde een in cadeaupapier verpakt doosje uit haar tas. Ze zette het voor Faye op tafel.

'Voor jou! Uit Hongkong!' zei Zenna.

'Voor mij?' riep Faye verbaasd uit. Ze bloosde. 'Hoezo dat?'

'Omdat je mijn liefste vriendje gelukkig maakt. Hoewel hij misschien eerder een cadeau verdient, omdat hij kennelijk in elk geval één vrouw happy heeft gemaakt. Wat een regelrecht wonder is, geloof me!' zei Zenna, waarna ze haar tong uitstak naar mij.

Faye wilde eigenlijk iets terugzeggen, zag ik. Ze pelde het papier van het pakje. Het was een fles Jo Malone Pomegranate Noir.

'Nou! Hoe weet jij dit?' riep ze verrukt naar Zenna. Die knikte mijn kant op.

'Wat lief! Mijn favoriete geur. Ik mis 'm al tijden. Hij is nergens te krijgen.'

'Echt niet? Ik struikel er echt over. In de betere warenhuizen dan, hè. Vooral die in het buitenland,' zei Zenna. 'Kleine moeite om zo'n flesje mee te nemen.'

Faye glimlachte. Ze maakte het doosje open, haalde de rechthoekige fles eruit, trok de ronde, zilverkleurige dop eraf en spoot een vleugje in de lucht, waar ze haar onderarm sierlijk doorheen bewoog.

'Ojáá,' genoot ze. 'Zalig.' Ze hield haar pols voor Zenna's neus. 'Ruik.'

Zenna bewoog haar hoofd subtiel iets naar achteren. 'Ja, ik ken het. Persoonlijk vind ik het niet het allerlekkerste luchtje dat ik ken.' Ze pakte Faye's arm vast. 'Maar dat is persoonlijk. Er zijn mensen die zweren bij Chanel. Of Eternity, van Calvin Klein. Daar loopt echt elke stewardess mee rond,' zei ze, met haar ogen rollend.

'Eternity. O, die heb ik ook. Ik vind hem best lekker eigenlijk,' zei Faye, al iets minder uitbundig. 'Maar ja, ik ben dan ook weer geen stewardess. Ik vind jou eerlijk gezegd ook meer een type voor een zwoelere geur. Iets als Lou Lou, van Cacharel.

Wat jij doet lijkt mij trouwens nog best een onderschat beroep, als ik van Tycho al die verhalen over je hoor,' zei Faye. 'Jullie schijnen op één vlucht soms wel kilometers achter die trolley te moeten lopen! Daar moet je toch enorm opgezwollen voeten van krijgen? Mensen doen altijd zo negatief over jouw vak. Dat jullie alleen eten hoeven te serveren en voor de rest bij het zwembad liggen.'

'We doen inderdaad wel iets meer dan serveren,' zuchtte Zenna. 'We zijn er in de eerste plaats voor de vliegveiligheid aan boord. Maar dat ziet het klapvee niet.'

'Dat met die stoelriem en het zwemvest? Wat jullie voordoen in het gangpad?'

Zenna schudde haar hoofd. 'De kisten waarop ik vlieg, de *wide body's*, hebben een demo op het beeldscherm. De veiligheid aan boord houdt veel meer in. Maar dat wordt misschien wat ingewikkeld om nu uit te leggen,' zei ze.

'Meisjes, wat drinken we?' zei ik vlug. 'Faye heeft hier het liefst chardonnay. Het maakt mij niet zoveel uit. Ik vind sauvignon blanc ook lekker. Jij, Zen?'

'Ja, ik heb ook meer met sauvignon blanc. *Period*. Meerderheid van stemmen doen dan maar, Tycho?' glimlachte Zenna koket naar me.

'Dan wordt het de chardonnay, want die is hier voortreffelijk!' zei ik.

Zenna's glimlach betrok. Faye kon een grijns nog net onderdrukken.

'Hé, maar vertel eens. Dat is toch niet niks wat jullie hebben meegemaakt,' zei Zenna hoofdschuddend, terwijl de ober de chardonnay in een koeler plaatste en onze bestelling opnam.

Faye vertelde een verkorte versie van de gebeurtenissen rond

Olivier en de latere miskramen. Concluderend zei ze: 'Ik weet niet of het ons gegund is. Misschien niet, en dan moeten we accepteren dat er geen kind meer gaat komen.'

'Geldt dat ook voor jou?' vroeg Zenna mij. 'Ik kan me voorstellen dat het voor jou anders is.'

'Ja, in principe wel,' antwoordde ik, met iets van aarzeling in mijn stem.

'In principe? Of ben je daar nog niet helemaal uit soms?'

De ober plaatste ons eten op tafel. Ik wachtte even tot hij weg was.

'Ja, toch wel. Faye en ik zijn het daarover eens.'

Faye keek wat ongemakkelijk. Ze schoof een partje entrecote heen en weer op haar bord.

'Maar dan ga je dus nooit vader worden!' zei Faye. Ze klonk bijna beledigd.

'Ik ben vader geworden. Goed, van een dood kind, maar toch. En ik ben vader van Luuk, als hij bij ons is. Dat is toch de helft van mijn bestaan,' zei ik.

'Ja, oké. Maar echt een kind van jezelf is toch anders. Jammer hoor,' zei Zenna.

'Voor Luuk is Tycho ontzettend belangrijk,' vulde Faye mij aan.

'Ja, voor zo'n kind is hij natuurlijk een hartstikke leuke extra papa! Maar voor Tycho moet het toch zwaar zijn, om elke dag met een kind van een ander bezig te zijn. Lijkt mij tenminste.'

'Nou, vraag het hem. Hij zit aan tafel,' zei Faye, scherper dan ik gewend was.

'Iemand nog een slokje chardonnay?' vroeg ik, en pakte de fles uit de koeler.

'Maar hoe zit dat met jou, Zenna? Waarom heeft zo'n leuke vrouw als jij nog steeds geen relatie? Je moet toch genoeg knappe piloten tegenkomen? Zit daar nooit iemand bij? Of een leuke steward desnoods. Of zijn die inderdaad allemaal homo?' vroeg Faye.

'Faye! Je lijkt mijn moeder wel!' schaterde Zenna. 'Hebben jullie zitten bellen soms? Die is daar ook altijd zo eindeloos mee bezig. Kijk, natuurlijk zou ik heus wel een relatie willen. Maar aan de andere kant heb ik ook een fantastisch leven. Ik doe alles wanneer en met wie ik wil. Die vliegers bij ons, dat is wel een beetje over nu. Zoveel leuke zitten er niet tussen. De meeste zijn getrouwd en willen gewoon een neukertje op de route. Voor je het weet heb je een reputatie. Daarbij zijn er ook nog eens veel jonge meiden bij gekomen. Die zitten in mijn vaarwater. Geintje natuurlijk. Ik richt mij wat meer op internet tegenwoordig. Ik zit op RP.'

'Erpee?' vroeg Faye.

'Relatieplanet,' zei Zenna. 'Veel collega's zijn lid. Daar zit soms best een leuke vent tussen. Ik heb er al een paar dates aan overgehouden. Maar uiteindelijk gaat het ze meestal tóch om de seks. Dat is soms ook prima, ik ben er niet vies van, maar als je wat méér zoekt, kom je vaak van een kouwe kermis thuis.'

'Maar is er dan nooit iemand die eens wat meer van jóú wil?' vroeg Faye.

'Hm, weinig. Als ze de eerste keer zijn blijven slapen, zie of hoor ik ze niet meer. Misschien laat ik juist te veel merken dat ik best een relatie zou willen.'

'En kinderen?'

'Eerlijk? Die wil ik diep vanbinnen misschien nog wel veel liever,' zei Zenna.

'Zou je ze alléén willen?' vroeg Faye. Ze keek mij daarbij net iets te lang aan.

Zenna dacht na, terwijl ze een patatje in de mayonaise duwde en in haar mond stak.

'Misschien. Ik heb daar heus wel over nagedacht. Aan de ene kant lijkt het mij onwijs relaxed dat je alles in je uppie kunt bepalen. Maar tegelijkertijd doe je dan dus ook echt alles alleen. Als je gebruikmaakt van een anonieme zaaddonor, weet je nooit wat je in huis haalt, wat zijn genen betreft. Straks heeft zo'n man een enge ziekte, of flaporen. Ik vind het best lastig. Maar ik ben al eenenveertig. Dus ik heb niet heel veel tijd meer. Gelukkig heeft zowel mijn moeder als mijn zus kinderen gekregen toen ze al in de veertig waren. Dus ik ga er zeker van uit dat het mij ook gaat lukken. Dat zal het probleem niet zijn. Ik ben vast zó zwanger!'

Er viel een stilte.

Faye zei als eerste iets. 'Nou, ik hoop absoluut dat het je allemaal gegund is. Misschien heb ik nog wel een leuke kandidaat in mijn vriendenkring rondlopen. Op wat voor types val je?'

Zenna legde haar hand boven op die van mij, greep met haar andere hand naar haar hart en schmierde totale aanbidding. 'Iemand als Tycho! Nee hoor, geintje!'

Ik wachtte tot Faye zou zeggen: dat is dan mooi jammer, die is al van mij.

'Dat begrijp ik,' zei Faye. 'Waarom is het eigenlijk nooit iets geworden? Jullie zijn altijd zo hecht.'

Zenna kreeg rode vlekken in haar hals. 'Eh, begrijp me niet verkeerd, ik zit niet achter Tycho aan, hè. Het is natuurlijk niet voor niets nooit wat geworden. We zijn beter af als goede vrienden. We lijken veel te veel op elkaar. Wat ik bedoel, is dat ik een man zoek met zijn *features*. Goeie kop met haar, verzorgd, temperamentvol. Humor vind ik ook belangrijk. Dat heeft Tycho heel erg. Ik lach me altijd suf met hem.'

'Ja, mijn liefje is grappig, hè?' zei Faye, terwijl ze mij over mijn wang aaide. Ze keek Zenna poeslief aan. 'En bijzonder goed in bed. Maar dat moet je maar van mij aannemen. Ik zal eens nadenken of ik een geschikt iemand voor je ken.'

'Lou Lou,' grinnikte ik in de auto, nadat we het restaurant hadden verlaten en Zenna gedag hadden gekust. 'Toen wist ik genoeg. Dat vind je een hoerige geur. Je vindt haar hoerig?'

Faye lachte nep, ik kende die lach.

'Nee. Hoerig is ze niet. Zenna is speelgoed voor mannen. Overduidelijk geen vrouwenvrouw. Wel sexy, op een bepaalde manier. Ze is de stevige uitvoering van Máxima, maar dan zonder die uitgroei. Ze is het prototype vrouw dat alleen achterblijft. Die altijd relaties met gebonden mannen heeft. En ze is dol op jou. Dat zie je zo. Ze zou het wel weten, als je mij niet had. Seks? Daar ben ik niet vies van,' deed Faye haar overdreven na.

'Zie je haar als een bedreiging? Eerlijk zeggen.'

Faye keek naar buiten. Toen zei ze: 'Eerlijk? Jullie zijn zo vertrouwd met elkaar, al sinds de lagere school. En wat het leven dat jij diep in je hart wilt leven betreft, past ze ook veel beter bij jou dan ik. Vergeleken bij haar en haar wereld, de luxehotels, de glamour... dan vind ik mijzelf heel saai. Dus ja, ik vind haar bedreigend. Omdat ik nog elke dag bang ben dat je liever zo'n leven hebt, dan wat je met mij hebt. En omdat je zo ontzettend graag vader wil worden van een eigen kind. Want dat weet ik gewoon. Dus.'

De rest van de autorit naar huis zei Faye niks meer.

98

Faye was weer zwanger. De zevende keer inmiddels.

Nadat we routineus ons testdraaiboek hadden afgewikkeld (la open, staafje pakken, verpakking openscheuren, Faye plast in de plastic Goofybeker van Luuk, staafje erin, plas wegspoelen in de wc, daar kwam de controlestreep, een minuut zwijgend wachten, daar was streep twee, zwanger, kus op de mond, tedere omhelzing, lieve woorden, hoopvolle grapjes, toch een zucht van vrees, liegen dat het nu écht goed ging komen, beker omspoelen, in de vaatwasser zetten en verdergaan met waarmee we bezig waren), kreeg ik een dwanggedachte. Oké, nu beslissen: alsnog een gezond kind, of de jackpot van dertig miljoen euro belastingvrij in de Staatsloterij?

De kans op de jackpot in de Staatsloterij zou één op vijf miljoen zijn. De kans op mijn eigen kind scheen, intussen, significant kleiner.

'Moeten we het vieren?' zei ik, terwijl ik met een schuin oog een binnenkomende sms van Gregor bekeek op mijn iPhone.

'Ik moet zo naar de kapper, en daarna zit ik de rest van de dag in het oosten. We drinken er vanavond wel een wijntje op. Nou ja, jij dan,' zei Faye, terwijl ze de test nog eens bekeek en vervolgens in de pedaalemmer deponeerde.

Toch, ik had geen idee waarom, had ik het idee dat deze zwangerschap de laatste zou worden – de zwangerschap die zou lukken.

Ik dacht weleens terug aan het medium uit Swifterbant. O, wat wist mevrouw zeker dat het nog ging gebeuren. Dat interview had ik nooit afgenomen; eerst dat kind maar eens.

Het bleef nog zitten ook. Drie weken nadat we de test hadden gedaan, durfden we voorzichtig blij te worden. Volgens de agenda uitgerekend op 5 maart, zagen we ons al op een lenteavond met een kinderwagen lopen in het park achter ons huis.

Het was zaterdagavond na een warme julidag. We lagen voor pampus met een ijsthee (Faye) en een gin-tonic (ik) met de voeten op tafel voor de tv, naar een herhaling van een herhaling te kijken.

Faye was een paar keer naar de wc geweest. Ze had last van haar buik, zei ze, en voelde zich niet helemaal oké. Toen ze voor de vierde keer terugkwam, zei ze terneergeslagen vanaf de trap: 'Ik bloed weer.'

Natuurlijk.

'Geen paniek, liefje,' zei ik, en hoopte dat het geloofwaardig klonk. 'Hebben we vaker gehad. Vijftig procent kans! Het kan heel goed innestelingsbloed zijn, hè?'

'Bij ruim zeven weken?' zei Faye. 'Lijkt me sterk.'

'Zal ik het forum checken?'

'Nee,' zei Faye.

We drukten de tv uit en gingen naast elkaar op de bank zitten. Ik kuste Faye.

'Ik heb krampen,' zei ze. 'Eerder al, vandaag. Ik hoopte dat het mijn darmen waren.'

Ik streelde haar. De krampen werden erger. Het zag er niet goed uit. Geen eendjes in het park, dacht ik.

Toen Faye weer naar boven was gegaan, bleef het stil. Ik hoorde haar niet doortrekken.

'Liefje? Kom eens,' klonk er door de badkamerdeur.

Ik liep de trap op. Wat nu weer?

Faye stond in de badkamer gebogen over de wc-pot. 'Kun jij eens kijken?' vroeg ze.

Tegen de rand kleefde in een mengsel van bloed en urine een frutsel. Het leek op een onregelmatig stukje ravioli, met een donker puntje erin.

'Ik durf het niet te pakken,' zei ze.

Ik pakte het frutsel uit de pot, keek ernaar en legde het daarna op de rand van de wasbak.

'Ja, een embryo. Ik herken het van de website. Nummer zeven dus,' zei ik.

Faye moest huilen. Ze staarde wezenloos naar het ding op de wasbak.

'Liefje, ik ben het zat,' snotterde ze. 'Zo zat. Ik trek het niet meer. Wéér zwanger. Wéér tietenpijn. Wéér misselijk. Wéér moe. Ik ben op. We moeten ermee stoppen, Tycho. Ik kan het niet nóg eens hebben.'

Ik omhelsde haar. 'Rustig maar,' suste ik, zachtjes over haar rug wrijvend.

'Wat moeten we ermee doen?' vroeg ik na een paar minuten.

'Doorspoelen?' zei ze. 'Of moet je zoiets bewaren voor de dokter? Ach, weg ermee.'

'Mag ik het opensnijden? Ik wil wel eens weten wat je kunt zien. Oké, geen goed idee,' zei ik toen ik de verbijsterde blik van Faye zag. Ik pakte het frutsel en legde het, verpakt in een dubbel vel wc-papier, voorzichtig terug in de pot.

'Dag, lief embryo,' zei ik, en trok door. Het kolkte weg in de afvoer.

De rest van de avond hadden we elkaar niet zoveel meer te vertellen. Ik trok *de Volkskrant* uit de stapel 'nog te lezen' en spreidde de krant op tafel voor me uit.

'Ik ga mij uitkleden en naar bed,' zei Faye.

'Goed, schatje,' mompelde ik, doorlezend.

'Kom je ook zo?' vroeg ze op vlakke toon.

'Ja, zo.'

Ze liep zonder nog iets te zeggen de trap op.

Ik kon mijn gedachten er niet goed bijhouden en ging een kwartier later ook. In de slaapkamer was het licht al uit.

Ik kroop omzichtig manoeuvrerend naast Faye, die ondanks de warmte van vanavond half onder haar dekbed lag. Dat van mij had ik al uit de hoes gehaald.

'Ik slaap nog niet,' klonk het naast me.

'Oké.'

'Hoe voel je je?' vroeg ze.

'Klote,' zei ik.

'Ja, ik ook.'

Daarna werd het stil. Fay keek net als ik naar het plafond, kon ik in het schemer zien.

99

Vader Abraham had zeven zonen. Ook nog bij een onvruchtbare vrouw, naar het scheen.

Hij wel.

De klootzak.

100

Adoptie, is dat niets voor jullie? werd ons weleens, altijd voorzichtig, gevraagd. Faye vond van wel, ik vond van niet.

Faye was er al een paar keer over begonnen. Deze avond ook weer. Ze lag op de bank tv te kijken, terwijl ik op een autowebsite speurde naar een nieuwe sportwagen.

'Waarom adopteren we niet?' vroeg ze. 'Zo'n schattig meisje uit Afrika. We zouden haar een prachtige toekomst kunnen geven.'

'Zit je weer naar *Spoorloos* te kijken?' vroeg ik.

Natuurlijk had ik daaraan gedacht. Onze wonderen waren wel een beetje op. Wilden we samen een kind, dan bleef een beperkt aantal opties over. De meest voor de hand liggende was adoptie.

Ik deed onderzoek: legio landen stelden adoptiekinderen beschikbaar. Niet alleen China, maar ook Polen, Kenia, Sri Lanka en Brazilië. Bij dat laatste land dwaalde ik wel even af, moest ik toegeven. Ik zag mij later *front row* bij de show van Victoria's Secret in New York apetrots knipogen naar mijn negentienjarige Braziliaanse adoptiedochter Valentina, die nét haar gymnasiumdiploma had behaald en naar Bangladesh wilde om daar aan verstoten leprakinderen poëzie te doceren. Het modellenwerk zou ze er gewoon bij blijven doen.

Faye zei smalend dat het waarschijnlijker was dat wij, als veertigers, een adoptiemeisje met een slepend beentje en een taalachterstand zouden krijgen.

Daar had ze gelijk in. Allereerst leken we inmiddels al te oud voor de adoptie van een baby, daar we veertigplus waren, en de leeftijd van de oudste ouder als maatstaf genomen werd.

Van mijn leeftijd moest ik veertig aftrekken. Het getal dat je overhield, was de ondergrens van de leeftijd van het te adopteren kind. En dat ging pas tellen vanaf het moment dat het adoptiekind voorgesteld was. Met de cursussen en examens die verplicht gesteld waren, was je dan al snel een jaar of twee verder; de gehele procedure kon soms wel vijf jaar duren.

Ergo: ik zou zesenveertig zijn en ons adoptiekind al minimaal zes jaar oud. Dezelfde leeftijd als Luuk had toen hij in mijn leven kwam. 'Dan kun je ze al praktisch niet meer omvormen,' zei ik.

Een mogelijk alternatief leek te zijn het adopteren van een *special need*-kind, een kleintje met een lichamelijke of geestelijke beperking. 'En ik geloof niet dat ik daar het juiste type voor ben,' zei ik tegen Faye. 'Daarbij: jij hebt al een kind. Ik niet. Dus als ik wil adopteren, is het dan héél egoïstisch als ik een zo jong en gezond mogelijk kind wil? Een hazenlip of een oogafwijking, soit. Daar had ik bij mijn eigen kind ook mee kunnen leven, vooral omdat je dat niet kunt weten van tevoren. Maar om willens en wetens voor een open rug te gaan?'

'Er valt gewoon niet met jou over te praten,' had Faye gezegd. 'Je overdrijft altijd zo. Een open rug ook meteen! En wat dan nog? Zo'n stumper verdient toch óók liefde? En we hebben het geld voor een behandeling.'

En dan had ik het nog niets eens over de wens van adoptiekinderen om later hun biologische ouders op te sporen, en er contact mee te onderhouden.

Ik vond het al ergerlijk dat Luuk zo aan zijn vader hing. Dus laat staan onze mismaakte Paco, die we uit de sloppen zouden redden, die we avond na avond geduldig zouden helpen met Nederlandse woorden, met wie we op een afgelegen plek in het Amsterdamse Bos bleven oefenen met zijn krukjes. Die we in alle liefde zouden grootbrengen en die dan in de puberteit – waarin hij ineens obesitas en grove acne kreeg – na een bezoek aan zijn geboortegrond zijn tandeloze moeder wilde laten invliegen voor zijn verjaardag. Ik zag de Facebookfoto's al voor me. Daar had ik gewoon niet zoveel zin in.

Faye werd pissig als ik adoptiekinderen en hun biologische ouders zo afzeek.

'De bloedband tussen ouder en kind is iets wat jij nooit zult begrijpen,' zei ze.

'Dat wéét ik, schat!' riep ik dan. 'Ik had het graag gewild. Maar ja, ons kind moest weer zo nodig doodgaan. Daardoor zal ik het nooit weten. En ik heb dan weinig zin om voor nóg een kind te gaan zorgen dat niet van mijzelf is. Mag ik?'

Oké, adoptie ging 'm niet worden.

Eiceldonatie wilde ik niet eens onderzoeken. Dan was het kind wel biologisch van mij, maar weer niet van Faye.

Zij zag nog wel mogelijkheden. 'Misschien wil mijn zus een eitje afstaan,' had ze geopperd.

'Ja?' wierp ik tegen. 'En hoe zie je dat voor je, als ons kind groter wordt? "O, dochterlief, je tante in Italië, bij wie je nooit wilt logeren, dat is je échte moeder. Vind je het niet enig?"'

'Dan houden we onze mond. Wat niet weet, wat niet deert!' deed Faye een laatste poging.

Daarop barstten we in lachen uit. Gelukkig konden we er de lol van inzien. Meestal.

IOI

Nadat Faye zich had uitgekleed en gewassen, kwam ze welterusten zeggen.

'Ben je nog lang bezig met dat oud papier?' vroeg ze, met een magere glimlach.

'Ja, het laatste stuk van het *AD* en heel *Het Parool* nog,' antwoordde ik. 'Ga maar lekker slapen. Kruip ik straks naast je.'

Faye keek naar de kranten. 'Was je straks extra goed je handen? Anders is je kussensloop weer helemaal zwart.'

Ze kuste mij, en liep de trap op. Ik luisterde of ik onze slaapkamerdeur dicht hoorde gaan en legde toen de kranten weg.

Op de laptop logde ik in op Facebook en vulde 'Zenna' in de zoekregel in. Ik klikte op haar foto, eentje genomen op Curaçao; ik herkende de strandtent waar ze aan de bar stond. Een foto voluit, waar ze goed op stond. Blonder en slanker dan nu, bruin, maar ook weer niet te.

Ik klikte op de foto en sloeg hem op in Afbeeldingen. Daarna sleepte ik een foto van mijzelf naast die van haar.

Ik leunde achterover, keek naar ons. We leken eigenlijk wel op elkaar. Die bruine ogen, die speelse grijns. In een kind van ons samen zouden we genoeg van onszelf kunnen terugvinden. En het kon een slechtere moeder treffen.

Ik glimlachte toen ik voor me zag hoe ik later op het schoolplein stond te wachten op mijn kind, als Zenna in Tokio of Rio zat. Hoe ik met mijn kind in het vliegtuig naar Milaan stapte – kleren kopen. Passagiers zouden naar ons kijken, elkaar aanstoten en vertederd zeggen: kijk die man eens met zijn kind. Wat een hippe vader is dat!

Ik schreef Zenna een Facebookbericht.

Zondag 23:52 uur
**Lig je ergens bij een tropisch zwembad je daggeld erdoorheen te jagen aan mojitos, of zit je gewoon in die pretflat van je? Zullen we snel een keer afspreken. Wil even praten...
XT**

Ik leunde tevreden achterover en maakte aanstalten om uit te loggen. Toen plopte er een bericht op mijn scherm.

Zondag 23:53 uur
Ben thuis, hoef pas over acht dagen te vliegen. Met fles vliegtuigwijn en klef broodje bapao op de bank een dvd aan het kijken. Praten?? O?? Wanneer wil/kun je?? Kiss Zen

Zondag 23:54 uur
Vrijdagavond? Palladium? 21.30u?

Zondag 23:54 uur
Toppie! Lekkere muziek, mooie mannen achter de bar... en ervoor ;-) Komt Faye mee?

Zondag 23:55 uur
Nee, Luuk is bij ons. Ze willen X Factor kijken. Ik pas ☺ Zie je daar dan, 21.30u. Leuk! XT

Ik deed de luxaflex voor het keukenraam dicht, en dimde het licht. Ik luisterde of ik boven iets hoorde, maar Faye leek al te slapen. Ik klikte Zenna's foto aan, en maakte hem zo groot mogelijk op mijn scherm. Daarna trok ik mijn riem uit de lussen van mijn Replay, maakte de knopen van voren open en rolde mijn spijkerbroek tot onder mijn knieën. Ik pakte door de gulp van mijn boxerbroekje mijn halfstijve lul vast, die ik masserend heen en weer bewoog terwijl ik naar de foto van Zenna staarde. Het was geen enkele moeite om volledig hard te worden.

Ik dacht aan onze onschuldige seksspelletjes in de kelderbox van de flat. Hoe ze nieuwsgierig gefriemeld had aan mijn piemel, waar toen nog niets uit kwam. Ik projecteerde die herinnering in het hier en nu, zag ons op diezelfde plek, in die kelderbox, zoals we nu waren, elkaar herontdekkend – ik die van haar, zij die van mij, ik vingerde haar, likte haar, ze pijpte me, we neukten, we waren botergeil.

Toen ik, denkend aan haar openstaande roze spleetje met volwassen vlezige schaamlippen, over mijn buik en borst klaarkwam, moest ik een harde kreun onderdrukken.

Boven bleef alles stil.

Ik wreef mijn sweater schoon met de theedoek, klikte de foto van Zenna, waarop ze mij nog steeds, onwetend aankeek, weer weg en klapte mijn laptop dicht.

Die nacht kon ik de slaap niet vatten. Terwijl Faye links naast mij slaapgeluidjes voortbracht, staarde ik naar het plafond.

Ik had maar weinig te klagen bij Faye. De seks was frequent en bevredigend. Toch was de intimiteit veranderd, na Olivier, na alle miskramen. Het was beladen geworden. Niet meer onbekommerd. De klad zat erin.

Ik keek naar Faye, die met haar gezicht naar mij toe lag. Ze keek tevreden in haar slaap. Ik geloof niet dat ik een liever wezen kende. Er zat geen greintje slechtheid in haar. Faye was iemand die, terwijl ze zelf voorrang had, een andere auto voor liet gaan, en dan ook nog vrolijk haar hand opstak naar die ander.

Faye draaide zich om in haar slaap. Ik ging op mijn rechterzij liggen.

Wat vond ik belangrijker: ware liefde of het vaderschap?

Als het ooit misging met Faye, dan had ik de kans op een kind bij een ander verknald. Moest en wilde ik mijn leven opofferen voor een stiefkind, iemand die zijn eigen vader verafgoodde, en mij hooguit als een goede vriend zag?

Ik draaide mij om, en schurkte van achteren tegen Faye aan. Ze mompelde iets onverstaanbaars en sliep verder. Ik kuste haar blote schouder.

'Ik hou van je,' fluisterde ik. Faye kreunde in slaaptaal 'ik ook van jou' terug. Ik hield echt van haar. Maar: was het genoeg?

IO2

Vrijdagavond, half negen. Ik kleedde mij aan, na een opfrisdouche. Mijn Dieseljeans, waar mijn kont volgens Faye zo goed in uitkwam, een wit overhemd, mijn Mexicaanse puntlaarzen van slangenleer, lekker fout, en een lichtbruin jasje. Omega Seamaster om, er zat wel een nieuwe kras op, constateerde ik, die niet wegging met een natte vinger.

Faye en Luuk zaten beneden tv te kijken. Ik hoorde ze ergens om lachen.

Toen ik mijn riem wilde pakken, zag ik het babymutsje. Oliviers mutsje, dat ik in Milaan had gekocht. Het Benettonprijskaartje zat er nog aan. Ik drukte het tegen mijn gezicht. Het rook winkelnieuw. Wat was het klein. Ik legde het mutsje terug in een andere la, die met T-shirts, daar zou het niet kunnen beschadigen door de pin van een riem. Het kaartje trok ik eraf, en gooide het in de prullenbak.

'Wat zie je er goed uit,' zei Faye toen ik de trap afkwam. 'Veel te goed,' zei ze erachteraan. Ze lachte en omhelsde mij innig. 'Doe je de jongens de groeten?'

Ze drukte haar hoofd tegen mijn borst. Ik haatte mezelf dat ik tegen Faye had gelogen over met wie ik naar het Palladium ging. Ik kuste haar op haar mond, nog een keer, gaf Luuk een boks en liep naar beneden.

Het Palladium was afgeladen. De portier hield de deur voor mij open. 'Tycho, *my man*! Lang geleden, dude! Ik begon je al te missen!' grijnsde de spierbundel.

Ik gaf hem een por tegen zijn schouder, die hij vast niet voelde, en liep gulzig de meute mooie mensen in, die zich hier vanavond als vanouds verzameld had.

Alsof ik nooit was weggeweest. Vrijdagavond was prijsschieten. Ik had het gemist. De muziek. De flirterige, maar professionele bediening. De atmosfeer. De meisjes.

Ik kreeg toen ik langs de bar liep een innige hug van de voormalige topbokser. De makelaar van wie ik de Kerkstraat had gehuurd, stak een paar meter verderop zijn hand naar mij uit, en achterin ontwaarde ik Zenna, omsingeld door drie beursboys die ik hier toch zeker ook al minimaal twintig jaar op loslopend wild zag jagen.

Zenna zag mij en stak haar handen naar mij uit. 'Jáá, daar is mijn schattie!'

Ik pakte haar handen beet en drukte Zenna stevig tegen mij aan. Ze had Jo Malone op. Pomegranate Noir.

Ik snoof nog eens. 'Sinds wanneer gebruik jíj Jo Malone?' riep ik in haar dichtstbijzijnde oor.

Zenna lachte slechts. 'Babe!' riep ze. 'Eindelijk! Haal jij even lekker een wit wijntje voor me?'

Ze had duidelijk al een paar glaasjes op. In haar caramelkleurige leren rokje en witte blouse met laag decolleté en op die paalhakken zag ze er verdomd goed uit.

Ik bestelde een glas sauvignon blanc voor haar en een Bacardi-cola voor mij.

'Cheers, Zen!'

Zenna nam een flinke teug uit haar glas dat meteen halfleeg was, en staarde mij uitdagend aan. Ze kwam met haar mond naar mijn oor en wilde wat zeggen, maar er ontsnapte haar een oprisping. 'Oeps!' Ze gierde het uit. 'Oehoe, wat gênant!'

Daarna gaf Zenna mij ineens een kus, op mijn mond. Zachte, volle lippen.

'Waarom hebben wij het eigenlijk nooit gedaan?' lispelde Zenna in mijn oor.

Voordat ik iets kon terugzeggen, zei ze: 'Maar éérst wat anders: waarover wilde jij vanavond met mij praten?'

Ik dacht een seconde na. 'Ja. Faye en ik... je weet natuurlijk dat het ons niet is gegund om nog een kind te krijgen samen.'

'Ja, vreselijk,' knikte Zenna, terwijl ze nog een grote slok van haar wijn nam. 'Vooral voor jou, en dat meen ik. Ik vind Faye superfantastisch, echt hoor, maar zij heeft natuurlijk al een kind. En ik weet dat je je zo lang hebt verscholen achter een façade, van veel meisjes pakken, rondscharrelen en zo. Dat werd me pijnlijk duidelijk toen we ruzie kregen. Je bent veranderd, Tycho. En op een prachtige manier.'

Ik slikte en keek naar Zenna. Mooie Zenna. Ik kende haar al zo lang, wat hadden wij nu nog voor elkaar te verbergen?

'Ik vind het ontzettend lief van je,' zei ik. 'Dat je ziet dat de dingen zijn veranderd. Sinds Faye.'

'Sinds Olivier,' zei ze stellig. 'Olivier heeft je even, tijdelijk, laten proeven van wat bijna alle volwassenen willen ervaren: het ouderschap. Ik heb dat verlangen ook, dat weet je.' Ze zuchtte en leek een traan tegen te houden.

'Maar betekent dat dat ik, Tycho Ittervoort, de kinderhater, de man die nooit langer dan vijf minuten in één ruimte met een kind wilde zijn, me nu ineens geen leven meer voor kan stellen zónder mijn eigen DNA aan mijn zijde?'

Ik wenkte de barman voor nog een baco en een wijn.

'Dat is toch niet zo raar, schatje. Dat is de natuur.'

Ik glimlachte en dacht aan de bonsai, thuis in de vensterbank. Aan onze eerste date samen en hoe hard Faye en ik ons best hadden gedaan niet verliefd te worden. Het was onvermijdelijk gebleken.

'Ik vraag me weleens af of ik het zou kunnen: weggaan bij Faye. Om ergens een gezin te stichten. Of om mijn vrije leven weer op te zoeken.'

Zenna pakte mijn hand vast en streelde mijn vingers. 'Ik denk dat het heel erg tijd is voor jou om je af te vragen wat je écht wilt in dit leven. En met wie. Je mag juist wel wat egoïstischer worden, Tycho. Het gaat ook om jouw geluk. Ja, toch?'

We pakten de sauvignon en de Bacardi-cola aan van de barman, en proostten.

'Op... op ons,' zei Zenna. Het leek of ze een beetje verlegen haar ogen wegdraaide.

'Op ons,' zei ik.

Zenna legde haar hand in mijn nek, en kriebelde zachtjes onder de boord van mijn overhemd.

'Het is goed dat je mij opgezocht hebt,' zei ze. 'Ik zou me geen leven zonder jou voor kunnen stellen. Sterker nog, soms denk ik wel eens: over tien jaar zijn jij en ik uitgeklooid met al onze scharrels, en kopen we een boerderijtje ergens aan de Vecht, en gaan we daar kippen laten scharrelen zodat wij het niet meer hoeven te doen.' Ze lachte hard om haar eigen grap, terwijl ze zachtjes in mijn nek kneep. 'Snap je dat, Tycho, dat ik dat soms denk?'

Ik trok Zenna tegen me aan. Voelde hoe haar borsten tegen mijn borst werden gedrukt, voelde haar warme adem in mijn hals. Ik voelde hoe ik een erectie kreeg en in een flits zag ik een mogelijk scenario voor me: ik zou Zenna kussen, lang en zacht, we zouden lieve dingen tegen elkaar zeggen, geile dingen, tot we hier niet meer met goed fatsoen konden blijven staan, we zouden op het Leidseplein met elkaar tongen tot we geen idee meer hadden van de tijd die verstreken was, we zouden een taxi nemen naar Zenna's huis en daar elkaar heel langzaam uitkleden. Elkaar diep in de ogen kijken en onze handen in elkaar strengelen, terwijl ik langzaam bij haar naar binnen zou gaan. Ik zou niet meer aan Faye denken. Ik zou...

Op dat moment trilde mijn iPhone in mijn broekzak.

Vrijdag 22:32 uur

Hoi liefje! Is het leuk met de mannen? Lig met Luuk op de bank een dvd te kijken. X Factor saai. Luuk is naast me in slaap gevallen dus ik kan niet opstaan om mezelf wat in te schenken. Er zit niks anders op dan de hele avond mijn plas op te houden, te wachten tot de film afgelopen is en jij weer terug bent ☺ Dikke X van je thuisfront

103

Terwijl ik de sms opnieuw las, en toen nog een keer, zei Zenna: 'Controle van het vrouwtje?'

Ik gaf haar een tedere kus in haar hals. Snoof de Pomegranate Noir op. Goddelijk.

Zenna hield haar ogen dicht, strekte haar hals uit, de kin omhoog. 'Hm,' kreunde ze.

Ik streelde haar wang en pakte toen haar kin beet. Ik gaf haar een kus op haar mond. 'Blijf hier. Niet bewegen. Ik ga even naar de wc, maar ben snel weer terug' zei ik met mijn meest schalkse knipoog.

'Jee,' zei Zenna stralend. 'Kom maar gauw terug dan!' Ze loenste een beetje.

Bij de wc's ging ik niet naar binnen, maar boog ik af naar links. Zo ver mogelijk achter de pratende en dansende massa langs, schuifelde ik zonder omkijken naar de ingang. De portier was bezig een groep Engelsen buiten de deur te houden, en ik glipte langs hem heen naar buiten.

Ik liep, de buitenlucht diep insnuivend, langs de Heineken Hoek het plein over en de Leidsestraat in. Ik groette de twee uitbaters van de Febo. Ze zwaaiden terug en riepen iets. Ik hoorde het niet, vervolgde mijn weg. Verderop stak ik de Prinsengracht over, en liep daarna rechts de Kerkstraat in – mijn eigen Kerkstraat. Honderd meter verder, aan de rechterkant, stopte ik voor mijn oude appartement. Ik keek omhoog, naar de tweede verdieping. Er hing vitrage voor de ramen. Bij de deur zat op dat nummer nog altijd geen naambordje. Dat van Ursula was ook weg.

Ik keek nog één keer omhoog en liep toen verder. De Kerkstraat door, rechtsaf de Nieuwe Spiegelstraat in, de Spiegelgracht, de Museumbrug over, aan het eind rechts langs het water van de Stadhouderskade, de rondvaartboten voorbij, naar de parking van Byzantium, waar mijn auto stond. Ik stapte in en sloot mijn ogen.

Toen ik ze na een halfuur weer opendeed, startte ik de Alfa en reed naar waar ik thuishoorde.

There may be trouble ahead,
But while there's music and moonlight,
And love and romance,
Let's face the music and dance.

VOCALS: DIANA KRALL
LYRICS: IRVING BERLIN

IK BEDANK

Jou. Fijn dat je mijn eerste boek hebt willen lezen. Ik hoop dat je het mooi vond.

Uitgeverij Nijgh & Van Ditmar, met een speciale vermelding voor mijn geduldige redacteur Willemijn, die al in mijn boek geloofde voor ik één letter op papier had.

Ziekenhuis Amstelland in Amstelveen. Niet alleen voor de zorgzaamheid bij de bevalling, maar ook voor de hulp bij het raadplegen van ons medische dossier.

Crematorium Westgaarde in Amsterdam voor het beantwoorden van mijn vragen. En de koffie, uiteraard.

Diana Krall. Ik hoop nog blond, want ik heb je grijsgedraaid. Interview doen? ☺

Mijn trouwe opdrachtgevers, die mij de tijd gunden om mijn debuut te schrijven.

Mijn ouders, familie, vrienden, collega's en relaties: voor al jullie betrokkenheid.

Tiffany en Julius. Mijn gezin. Mijn thuis. Mijn alles.

Olivier. Dat je mij, hoe dan ook, vader hebt gemaakt.

Uitgeverij Nijgh & Van Ditmar stelt alles in het werk om op milieuvriendelijke en duurzame wijze met natuurlijke bronnen om te gaan. Bij de productie van dit boek is gebruikgemaakt van papier dat het keurmerk van de Forest Stewardship Council (FSC) mag dragen. Bij dit papier is het zeker dat de productie niet tot bosvernietiging heeft geleid.